# この本を使ってくださる方々へ

現在日本の小中学校で学んでいる日本語指導を必要とする子どもたちの数は約五万人（日本国籍を含む）に達しています。特に中学校での勉強の難しさに音をあげて、学習意欲を失い、夢をなくしている子どもたちや、不登校になり、非行化している子どもたちも多くいます。

「かんじだいすき」シリーズの著者の願いはこのような子どもたちの内なる声をなんとかとりあげ、少しでもいい解決の方向づけをしたいということです。みんなのネックになっている漢字を克服し、むずかしい教科に挑戦していく力をつけてもらいたいのです。そして子どもたちが学習意欲をだし、自信をもって人生を歩んでほしいと願っています。

## 一　対象学習者と作成意図

これから日本の中学校で勉強する子ども、また、現在勉強している子どもを対象学習者と想定しました。作成意図は小学校の総復習として主要四教科（国語、算数、理科、社会）の漢字語彙を中心に教科理解につながる日本語力をつけることとしました。

## 二　学習目標

中学の学習内容についていける学習言語の基礎力の育成、
教科書を読んで理解できるようになることを目標としています。

## 三　この本の特徴

国語、社会、理科、算数の主要四教科が「社会・理科編」と「国語・算数編」の二分冊になっています。

〈国語〉

◆一学年毎の漢字入り文リスト

・学年毎に漢字読みの習得度をはかることができます。
・一年から六年までの教育漢字が全て学習できます。
一年から六年までの漢字を含む短文を学年毎に掲載しています。

学年毎の漢字使用の文リストは、当該学年の漢字はルビがありませんので、学年毎の漢字の習得度をはかることができます。そのほかの漢字を総ルビにすることにより、学習者の負担が少なくなり、学習意欲につながります。

◆物語

・文化的背景をもつ語彙の習得と読書好きにするために物語を入れました。
特に日本の文化的な背景を含む語彙を身につける機会の少ない子どもたちに、楽しく、語彙力がつき、長文の読解力がつくこと、そして読書が好きになってほしいという願いで入れました。理解しにくい日本の昔話を、イラスト付きで楽しく学べます。

「かんじだいすき」シリーズ(二)~(六)に掲載した物語(ももたろう、だいこんとにんじんとごぼう、ねずみのよめいり、うらしまたろう、つるの恩返し)の全てを、漢字かな交じり文にして載せました。

また、中学の古典で学ぶ「竹取物語」の伏線として、外国にルーツをもつ子どもたちが物語の内容を知り、学習しやすいように、新しく「かぐやひめ」を追加しました。

全て総ルビにすることで、できるだけ子どもたちの負担をなくし、楽しくストーリーに入りこめるようになっています。

◆楽しいゲーム

・漢字クイズ

ゲーム感覚で、楽しく漢字の力がつくようになっています。

・音訓すごろく

音訓両方の読みを習得するために、ゲームをしながら楽しく、抵抗なく理解できるように作られています。

**〈社会、理科、算数〉**

多くのイラストと一緒に、楽しく教科語彙が身につくようになっています。

◆漢字表記と総ルビ

内容は小学校の範囲ですが、使用している漢字はそれにこだわらず、著者が中学校での学習で必要と考えた語彙は、漢字で提出し、総ルビとしています。

◆キーワード

理科と算数は各課、社会は各時代に大切な漢字語彙を、キーワードとして枠で囲んであります。文中にそのキーワードが出てきた場合は、太字で表しています。キーワードは読めて意味がわかるようになることが大切です。そのためにやさしい説明文になっています。

算数編の巻末には全てのキーワードのリストをつけました。算数の語彙学習の確認にお使いください。

◆練習問題

学習した内容の確認のために練習問題をつけました。本の内容を見て、自分で確認しながら勉強できます。

# かんじだいすき 国語編（こくごへん）

# 目次

# 一〜六年生習熟度テスト

# 一 年生の漢字

名前

1 つくえの上も下も掃除(そうじ)をした。

2 私(わたし)の村には山も川も森も林もある。

3 ぞうの耳は大きい。

4 正しい漢(かん)字を書(か)きましょう。

5 ぼくは中学一年生。

6 この犬の名前(まえ)はシロです。

7 右と左をよく見てわたろう。

8 田んぼの草をとりました。

9 赤ちゃんの手は小さい。

10 きれいな貝を拾(ひろ)った。

11 難(むずか)しい**文**ですね。

12 **赤**と**白**と**青**の**中**でどれが好(す)きですか。

13 この**本**は**三千円**です。

14 **虫**が**八**ぴきいます。

15 **空**に**月**が**出**ました。

16 桜(さくら)の**花**が咲(さ)き始(はじ)めました。

17 **王**様(さま)は**力**があります。

18 **先生**が教室(きょうしつ)に**入**って来(き)ました。

19 **男**の**子**が**七人**と**女**の**子**が**五人** **立**っています。

20 さいふの**中**のお**金**は**十円玉**が**一**つと**百円玉**が**二**つです。

21 六時(じ)だ。早く起(お)きよう。

22 夕方(がた)から雨が降(ふ)るそうです。

23 このかごは竹で作(つく)った。

24 学校に桜(さくら)の木が九本あります。

25 水をかけて、火を消(け)しました。

26 土曜(よう)日と日曜(よう)日は休みです。

27 火曜(よう)日と木曜(よう)日に体育(たいいく)があります。

28 新(あたら)しい車です。

29 重(おも)い石を持(も)ち上(あ)げました。

30 たこは足が八本です。

31 私(わたし)の町はとなりの町より大きいです。

32 算数(さんすう)は月曜(よう)日と水曜(よう)日と金曜(よう)日にあります。

33 針(はり)に糸を通(とお)してください。

34 今日(きょう)はいい天気です。

35 ここに今日(きょう)の日づけを書(か)いてください。

36 あのねこの目はかわいいですね。

37 歯医者(はいしゃ)さんが「大きい口を開(あ)けて。」と言(い)いました。

38 ラジオの音が大きいから、小さくして。

39 かえるが四ひきいます。

# 二 年生の漢字

名前

1 今日（きょう）は**国語**と**算数**と**図工**を勉**強**（べん）します。

2 明日（あした）は**理科**と音**楽**（おん）を勉**強**（べん）します。

3 私（わたし）は二年三**組**（にねんさん）です。

4 **昼**休（やす）みにドッジボールをします。

5 **今週**は給**食当番**（きゅう）です。

6 四月（しがつ）は**交通**安全（あんぜん）の月（つき）です。

7 **点**を**書**いて、**線**を**引**いてください。

8 **父**は**米**と**麦**を**作**っています。

9 この形（□）は四(し)角形、この形（△）は三(さん)角形で、この形（◺）は直角三(さん)角形です。

10 今日(きょう)は午前も午後も忙(いそが)しい。

11 里に秋が来た。

12 西の空(そら)が赤(あか)い。

13 強い北風が山(やま)から吹(ふ)いてきた。

14 谷の水(みず)はおいしい。

15 馬の親子(こ)が走っている。

16 鳥の羽が落(お)ちている。

17 町(まち)の広場で盆踊(ぼんおど)りがあった。

18 お寺のうらに池がある。

19 七(しち)時に学校(がっこう)の門が開(あ)く。

20 道を歩くときは、車(くるま)に気(き)をつけよう。

21 かばんの内側(がわ)に
ポケットがついている。

22 兄は会社で働(はたら)いている。

23 同じ形のはこを作りました。

24 明日(あした)は晴れるでしょう。

25 車(くるま)の後ろに気(き)をつけよう。

26 店の前を掃除(そうじ)した。

27 掃除(そうじ)用のバケツを持(も)って来てください。

28 黒い犬(いぬ)が一(いっ)ぴきいる。

29 寒(さむ)い冬が終(お)わって、もうすぐ春が来る。

30 今日(きょう)の月(つき)はまん丸だ。

31 大きい岩があるので、車を止めて。

32 私のチームは弱いから、強くなりたい。

33 私の足は太いですが、妹の足は細いです。

34 かばは体も口も大きいです。

35 姉に新しいかばんを買ってもらいました。

36 月に雲がかかっています。

37 海で魚をつりました。

38 早く夏休みにならないかなあ。

39 この町は古い家がたくさん残っています。

40 汽車に乗(の)って、知らない町(まち)に行ってみたい。

41 近くの野原に黄色い花(はな)が咲(さ)いていた。

42 きれいな声で鳥が鳴いている。

43 元気(き)な弟と妹がいる。

44 いろいろ買ったら、全部(ぜんぶ)で一万円(いちまんえん)でした。

45 母は背(せ)が高いです。

46 私(わたし)は八才(はっさい)です。

47 東京は人(ひと)が多いです。

48 この町(まち)は子(こ)どもが少ないです。

49 きりんの首は長いです。

50 雪が降(ふ)ると、外に出(で)なくなります。

51 きらきら星が光っています。

52 ぐるぐる目(め)が回ってしまった。

53 ボールが足(あし)に当たって、痛(いた)い。

54 今日(きょう)は牛肉が食べたいな。

55 毎週テストがある。

56 心臓(ぞう)がドキドキする。

57 東の空(そら)が明るい。

58 学校(がっこう)はテレビが十(じゅう)台もある。

59 山(やま)が遠くに見(み)える。

60 計算の答えが合っている。

61 お茶を飲(の)みながら、本(ほん)を読んでいる。

62 地図を見(み)るのが好(す)きです。

63 戸を閉(し)めてください。

64 広い教室にあるいすを数えてください。

65 今、友だちに漫(まん)画を借(か)りて読んでいる。

66 歌を歌うより聞くほうが好(す)きだ。

67 朝起(お)きて、頭と顔を洗(あら)った。

68 祖母(そぼ)の家は、横浜(よこはま)市の南の方にあります。

69 紙に絵をかいた。

70 生(せい)活の時間にカレーライスを作りました。

71 船で向(む)こうの島(しま)まで行った。

72 武士(ぶし)は刀で竹(たけ)を切って練習(れんしゅう)していた。

73 きれいな字(じ)で日(にっ)記を書いてください。

74 よく考えてから話しましょう。

75 自転(てん)車で公園から帰ってきた。

76 日(にち)曜日(び)も夜八(はち)時半に寝(ね)る。

77 ゆっくり言ってください。

78 この柔(やわ)らかい毛は何の毛だと思いますか。

79 どこでその薬(くすり)を売っていますか。

80 弓と矢を持(も)っている人(ひと)は
何をする人(ひと)ですか。

81 電気(き)をつけてください。

# 三 年生の漢字

名前

1 私(わたし)は図書(としょ)**係**になった。

2 父(ちち)は、毎晩(まいばん)お**酒**を**飲**む。

3 学校(がっこう)の帰(かえ)りに郵便(ゆうびん)**局**に寄(よ)った。

4 **銀**のスプーンで食(た)べる。

5 ナイフでりんごの**皮**をむく。

6 熱(あつ)いお**湯**を**飲**む。

7 **羊**が草(くさ)を食(た)べている。

8 えんぴつが**短**くなった。

9 **屋根**より高(たか)い

こいのぼり

10 美しい景色を見る。

11 お皿の上に料理をのせる。

12 豆は、体にいい。

13 海で泳いでいたら、大きな波が来た。

14 掃除道具を片付けてください。

15 算数の時間に表とグラフを勉強した。

16 みんな幸福になりたいと思っている。

17 右と左は、反対だ。

18 田んぼで米を、畑で野菜を作る。

19 緑の葉が赤や黄色になった。

20 この言葉の意味は、何ですか。

21 日本には、大きな島が四つある。

22 北海道と本州と九州と四国だ。

23 指を切ったので血が出た。

24 庭で子どもが遊んでいる。

25 洋服はデパートの六階で売っている。

26 道の両側に木を植えた。

27 夏休みに、京都を旅行する予定だ。

28 食事の後で、歯をみがく。

29 柱にぶつかって頭を打った。

30 この車は、安い。

31 面積を計算する。

32 青森**県**は、本**州**の一番北にある。

33 新幹線は**速**い。

34 **向**こうの**岸**まで、**泳**ぐ。

35 日本人の**主**な食べ物は米です。

36 新しい**命**が、生まれた。

37 朝の**放送**を聞いた。

38 あの人は、**鼻**が高い。

39 **次**の文**章**を読んでください。

40 私の家は、五人家**族**だ。

41 魚について**研究**して**発表**した。

42 **平**行な線を二本書いた。

43 この**湖**は**深**いです。

44
身長と体重を測る。

45
世界には　暑い国と寒い国がある。

46
フライパンに油を入れる。

47
地球は太陽の周りを回っている。

48
父は、医者だ。病院で働いている。

49
明日は　私の学校の第五十回の卒業式だ。

50
ボールは体育館の倉庫に入れること。

51
公園の中央にふん水がある。

52
練習帳の問題を全部しました。

53 去年、新しい橋ができた。

54 軽い荷物を持つ。

55 山田君は、学級委員になった。

56 港に船が着く。

57 直角は、九十度です。

58 入学式は四月十日だ。

59 鉄棒から落ちてけがをした。

60 根が長くのびている。

61 ボールを追いかける。

62 今、ピアノを習っている。

63 友達を三十分待った。

64 先生(せんせい)は、テスト用紙(ようし)を配る。

65 「はい、息を吸(す)って、はいてください。」

66 友達(ともだち)が投げた
ボールを受ける。

67 一学期(いちがっき)が終わる。

68 昔の人(ひと)が書(か)いた詩を読(よ)む。

69 毎日(まいにち)、温度を測(はか)る。

70 大統領(だいとうりょう)に手紙(てがみ)を書(か)いて、返事をもらった。

71 筆を使って
字(じ)を書(か)く。

72 分(わ)からない言葉(ことば)を辞書(じしょ)で調べる。

73 炭で肉(にく)を焼(や)く。

74 ハイキングに行(い)く日(ひ)を、みんなで相談する。

75 祭りで笛をふく。

76 この薬は、苦い。

77 夜中(よなか)にお化けが出(で)た。

78 氷がとけて、流れる。

79 広島(ひろしま)に有名(めい)なお宮があります。

80 坂道(みち)を登る。

81 黒(こく)板を消す。

82 二(に)列で進む。

83 六時(ろくじ)に起きる。

84 毎日水（まいにちみず）をやって花（はな）を育てています。

85 宿題を忘（わす）れて、先生（せんせい）に注意された。

86 姉（あね）は、正月（しょうがつ）に着物（もの）を着た。

87 水泳教室（きょうしつ）に申しこむ。

88 後（うし）ろのたなを整理（り）する。

89 体（からだ）を曲げる。

90 時間（じかん）がない。急いで！

91 犬（いぬ）のシロが死んで、悲しい。

92 写真代を集める。

93 初（はじ）めて高速道路（どう）を運転した。

94 秋(あき)になって、いろいろな木(き)の**実**を**拾**いました。

95 学校(がっこう)の**決**まりは、**守**らなければなりません。

96 東京(とうきょう)**駅**で電車(でんしゃ)に**乗**って、横浜(よこはま)で降(お)りた。

97 私(わたし)の**住所**は、東京(とうきょう)**都**北(きた)**区**大山町(おおやまちょう)三(さん)**丁**目(め)です。

98 二(に)**等**辺三角形(へんさんかくけい)は、二(ふた)つの辺(へん)の長(なが)さが同(おな)じだ。

99 おいしい物(もの)を食(た)べているときは、**幸**せだ。

100 勝ったチームと負けたチームが握手した。

101 この四角形は、縦の長さが横の長さの二倍である。

102 先生は私が学校におくれた理由を聞いた。

103 私の学校では勉強を始める前に「起立」「礼」をする。

104 父は昭和四十年（一九六五年）に生まれました。

105 夕方、田中商店はお客さんでにぎわっています。

106 お店(みせ)の人は箱を開けて品物を並(なら)べます。

107 よく食(た)べて、よく運動しよう。

108 『かんじだいすき』で、漢字(じ)を勉強(きょう)する。

109 夏休(なつやす)みの宿題は、本(ほん)を読(よ)んで感想を書(か)いてくることだ。

110 体(たい)育の時間(じかん)にみんな一(いち)列に並(なら)んで番(ばん)号を言(い)った。

111 その他に質問(しつもん)はありますか。

112 わたしのおじさんは、ブラジルで農業をしています。

113 ねるとき、お母さんがいつも童話を読んでくれました。

114 ボールが転がってきたので取りました。

115 「石田花子様」と書いて、手紙を送った。

116 日本人はお正月は神社やお寺へ行きます。

117 昼は明るくて、夜は暗い。

118 地震のとき、多くの人に助けられました。

119 一分は六十秒です。

120 母は土曜日も仕事をしている。

121 市役所に行く。

122 気分が悪い。

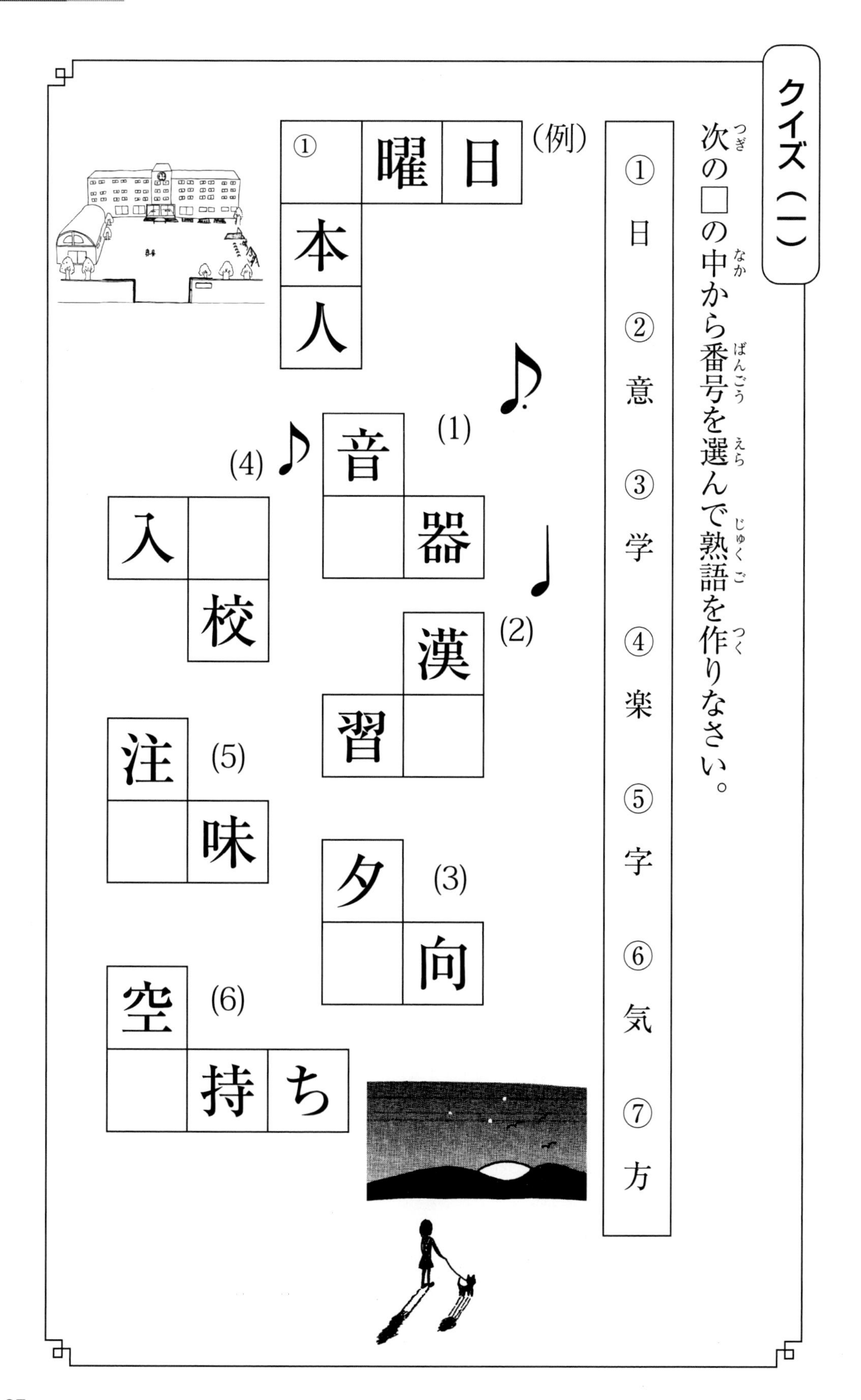

## クイズ（二）

次（つぎ）の□の中（なか）から番号（ばんごう）を選（えら）んで熟語（じゅくご）を作（つく）りなさい。

①日　②意　③学　④楽　⑤字　⑥気　⑦方

（例）日曜①／①本人

(1) 音□／□器

(2) 漢□／□習

(3) 夕□／□向

(4) 入□／□校

(5) 注□／□味

(6) 空□／□持ち

四年生

# 四 年生の漢字

名前

1 駅(えき)の**改札**口(ぐち)で会(あ)う。

2 トラックで**機械**を運(はこ)ぶ。

3 **老**人(じん)と子(こ)どもが公園(こうえん)にいる。

4 子(こ)どもの子(こ)どもは**孫**だ。

5 病気(びょうき)で高(たか)い**熱**が出(で)た。

6 鳥(とり)の**群れ**が飛(と)んで行(い)く。

7 誕生日(たんじょうび)は**特別**な日(ひ)だ。

8 大(おお)きな**希望**を持(も)つ。

9 彼(かれ)は**勇**気(き)のある人(ひと)だ。

10 **成功**と**失敗**を繰(く)り返(かえ)した。

11 生徒の住所と氏名を書いた。

12 卒業式で別れの歌を歌った。

13 漢字には、音読みと訓読みがある。

14 兄は 英語の辞典を買った。

15 日本には春夏秋冬の四つの季節がある。

16 庭の松と梅の木がきれいだ。

17 ナポレオンは軍人で、たくさんの兵隊を連れて戦争に行った。

18 先生は試験の答案用紙を印刷した。

19 一兆はゼロが十二で、一億はゼロが八つだ。

20 直径は半径の二倍だ。

21 博物館で古いお金を見た。

22 静岡県と山梨県から富士山がよく見える。

23 各地の産業を調べる。

24 今日の最高気温は十三度だ。

25 埼玉県と神奈川県は東京都から近い。

26 市民プールは向こう側にある。

27 牧場に牛や馬がいる。

28 生徒会の会長と副会長を選んだ。

29 浅い川で遊ぶ。

30 野菜にはいろいろな栄養がある。

31 今月の目標は、忘れ物をしない。

32 目的を持って勉強する。

33 沖縄で海底にもぐった。

34 公共の場所はきれいに使う。

35 雑誌の付録を読む。

36 私の家は不便な所にあるが、静かだ。

37 望遠鏡で見たら遠くの景色が大きく見えた。

38 父は国会議員で、兄は警察官だ。

39 選挙の票を数える。

40 きれいな花束をもらった。

41 運動した後、シャワーを浴びる。

42 滋賀県や茨城県に大(おお)きな湖(みずうみ)がある。

43 給食(しょく)を残さないで食(た)べる。

44 ご飯が好きだ。

45 倉庫(こ)が　建った。

46 開港記念日(かいこうきねんび)を祝う。

47 夏休(なつやす)みに愛媛県と香川県に行(い)った。

48 福井県や岐阜県や富山県は冬(ふゆ)に雪(ゆき)がたくさん降(ふ)る。

49 休(やす)むときは必ず連絡(らく)する。

50 料理(り)の材料に塩をふる。

51 魚(さかな)を焼いて食(た)べた。

52 教室(きょうしつ)を出(で)るとき、けい光灯(こう)を消(け)した。

53 自然を愛する。

54 新潟県でおいしい米がとれる。

55 努力を続ける。

56 妹は一輪車に乗れる。

57 順番に号令をかける。

58 テストの結果を反省した。

59 無理な競争をやめよう。

60 国会で大臣が説明した。

61 作文は清書したら完成だ。

62 年末は一年の終わりのことだ。

63 公園の桜が満開だ。

四年生

64 タンポポの種が飛ぶ。

65 新(しん)芽を観察する。

66 害虫(ちゅう)を殺(ころ)す方法(ほう)を見(み)つける。

67 風(かぜ)で桜(さくら)が散った。

68 鹿児島県や熊本県や佐賀県や長崎県は九(きゅう)州(しゅう)地(ち)方(ほう)にある。

69 友達(ともだち)は協力(りょく)すると約束してくれた。

70 学(がく)芸会(かい)で合(がっ)唱した。

71 要点(てん)を覚える。

72 角度(かくど)の差を分度(ぶんど)器で測(はか)る。

73 母(はは)に帯を結んでもらった。

74 司会者（かいしゃ）が欠席して困（こま）った。

75 氷（こおり）は冷たい固体（たい）だ。

76 いろいろな種類の荷物（にもつ）を積んだトラックが通（とお）った。

77 貨物列車（もつれっしゃ）で野（や）菜を運（はこ）ぶ。

78 栃木県に郡が五（いつ）つある。

79 物（もの）を借りたら返（かえ）さなければならない。

80 田中（たなか）さんは、リーさんと仲良しだ。

81 体（からだ）の中（なか）にはたくさん血（けっ）管が通（とお）っている。

82 三角形（さんかくけい）の辺は三（みっ）つだ。

83 急（きゅう）に空（そら）の色（いろ）が変わった。

84 工（く）夫していろいろな国（くに）の旗をかざった。

85 商店街で衣服を買った。

86 子どものころは、よく泣いたり笑ったりした。

87 道徳とは人として守らなければならないことだ。

88 放課後妹は児童館へ行く。

89 例のように折れ線グラフを書いた。

90 メートルは長さの単位だ。

91 南極大陸へ行く航海に参加した。

92 これからも通信産業が発達するだろう。

93 兄は漁業の仕事をしている。

94 政治に関心がある人が少なくなった。

95 プレゼントをきれいな紙に包んで送った。

96 気候が良くて便利なところに住みたい。

97 雨が降ったので、川の水の量が増えた。

98 「入口に物を置かないでください。」と言われた。

99 さるが低い木から落ちた。

100 日が照って、気持ちがいい。

101 日本に来て初めて雪を見た。

102 労働って働くことだ。

103 母の病気が治るように祈った。

104 「あした三時に行く。」と伝えてください。

105
いつか世界一周旅行をしたいと思っている。

106
兄が高校に合格するように願った。

107
昨夜は星がきれいだった。

108
子ども達の未来には希望がある。

109
バスに乗るとき、小学生以上はお金を払う。

110
算数の計算で差を求めた。

111
屋根の下に鳥が巣をつくった。

112
大阪府と京都府は隣です。

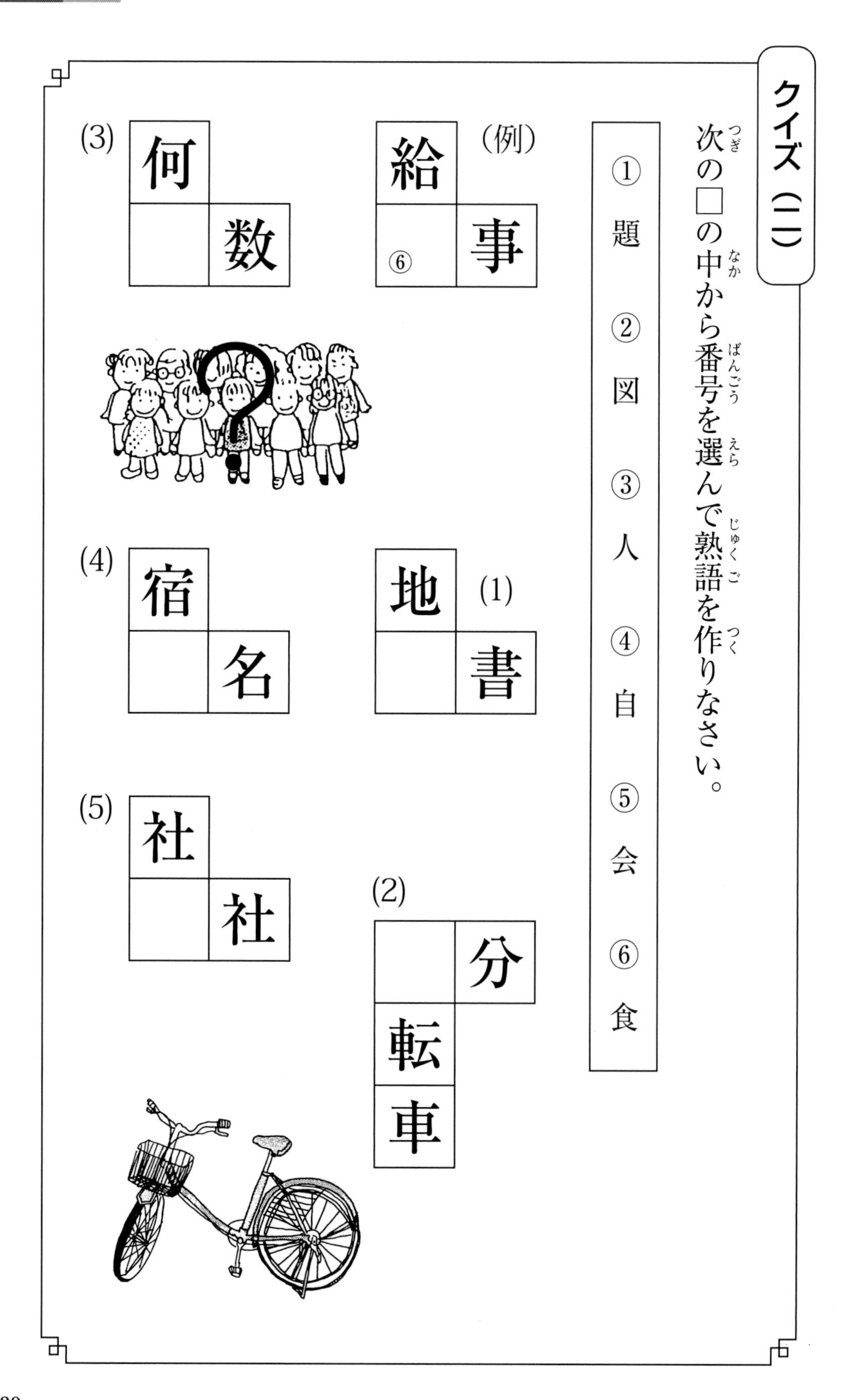

## クイズ（二）

次の□の中から番号を選んで熟語を作りなさい。

①題　②図　③人　④自　⑤会　⑥食

（例）給 ⑥ 事

(1) 地 □ 書

(2) □ 分／転 車

(3) 何 □ 数

(4) 宿 □ 名

(5) 社 □ 社

# 五年生の漢字

名前

1 家族でお墓まいりをした。

2 動物園には象やキリンがいる。

3 この厚い本は百科事典だ。

4 毎月、母は貯金をしている。

5 日本も貧しかった。

6 険しい山に登る。

7 余りのある割り算をする。

8 日本政府が発表する。

9 文の構成を考える。

10 この木は幹と枝が太い。

11 強い意志を持とう。

12 お寺で古い仏像を見た。

13 立入禁止の所は、入ってはいけない。

14 適切な言葉で書く。

15 分からないところを先生に質問する。

16 「ご飯を食べる」の述語は「食べる」です。

17 輸入したり輸出したりすることを貿易という。

18 個人が集まると集団になる。

19 賛成と反対に分かれた。

20 手紙の内容を考える。

21 社会の授業で地図の勉強をする。

22 妹は音楽の才能があってピアノが得意だ。

23 複雑な計算は難しい。

24 理科で高気圧と低気圧の勉強をした。

25 国と国との勢力争いが戦争になった。

26 歴史は過去、現在、未来と続く。

27 バスを停留所で待つ。

28 銀行に本店と支店がある。

29 このストーブの燃料は灯油だ。

30 ハイキングのお弁当を作る。

31 国境を通る。

32 犬を飼う。

33 桜の花(はな)が咲(さ)く。

34 暴力(りょく)はいけない。

35 学校(がっこう)で身長(しんちょう)を測りました。

36 職員室(いんしつ)に入(はい)る。

37 畑(はたけ)を耕す。

38 セーターを編む。

39 運動(うんどう)すると脈が速(はや)くなる。

40 友達(ともだち)を家(いえ)に招く。

41 布で洋服(ようふく)を作(つく)る。

42 道(みち)に迷って、遅(おそ)くなった。

43 父(ちち)の会社(かいしゃ)の本社(ほんしゃ)は、大阪(おおさか)から東京(とうきょう)に移った。

44 父(ちち)は綿のシャツが好(す)きだ。

45 わたしの夢は南極(なんきょく)へ行(い)くことだ。

46 遠足(えんそく)の費用はいくらか。

47 父(ちち)は母(はは)を「私(わたし)の妻です。」と言(い)って紹介(しょうかい)した。

48 花(はな)に肥料(りょう)をやる。

49 事故(じこ)を防止(し)する。

50 正(せい)確に計算(けいさん)する。

51 応用(よう)して考(かんが)える。

52 救急車(きゅうしゃ)が来(き)た。

53 体(からだ)と精神(しん)をきたえる。

54 大(おお)型トラックが事(じ)故を起(お)こした。

55 人工衛星を打ち上げる。

56 五十音のカードを順序よく並べる。

57 毒ヘビを殺す。

58 日本は木造の家が多い。

59 お年寄りに席をゆずる。

60 車を止める許可をもらう。

61 新築の家に住む。

62 体を清潔にしよう。

63 病気の原因はいろいろある。

64 約束を破らないで。

65 居間に家族が集まる。

66 友情は大切だ。

67 眼科で目の検査をする。

68 血管から血液を採る。

69 手術をするので採血をした。

70 父母は夫婦で北海道へ旅行した。

71 河口の近くでつりをする。

72 国の面積を比べる。

73 このごろ、犯罪が増えている。

74 子どもを育てるのは親の責任だ。

75 台風で損害を受けた。

76 条約を結んでいる国。

77 良いことと悪いことを判断する。

78 版画の年賀状を出す。

79 級友と再会する。

80 東京は国際都市だ。

81 あの兄弟は顔が似ていない。

82 この字は右と左が逆になっている。

83 家やお金は財産だ。

84 第二次世界大戦のあと独立した国は多い。

85 高い山の上は酸素が少ない。

86 きょうのスーパーの利益は七十万円だ。

87 パイロットの資格を取りたい。

五年生

88 「この本(ほん)を**貸**してあげるけど、**絶**対(たい)土曜日(どようび)までに返(かえ)してね。」

89 今年(ことし)は**災**害(がい)が多(おお)い。

90 電気(でんき)**製**品(ひん)が安(やす)くなった。

91 私(わたし)の特(とく)**技**は逆立(さかだ)ちだ。

92 **総**合学習(ごうがくしゅう)の時間(じかん)に英語(えいご)を習(なら)った。

93 本(ほん)を**読**(よ)んで

94 知(ち)**識**を**増**やそう。

94 この国(くに)は果物(くだもの)が**豊**富(ふ)だ。

95 肉(にく)に小麦(こむぎ)**粉**をつけて焼(や)く。

96 宿題提出(しゅくだいていしゅつ)の期(き)**限**は明日(あした)だ。

97 さくで羊(ひつじ)を**囲**んだ。

98 先生の**指示**の通りにする。

99 **基本**をしっかり練習する。

100 星に**興味**がある。

101 コンビニは、二十四時間**営業**している。

102 この駅はいつも多くの人で**混雑**している。

103 先生の話が**理解**できた。

104 国会**議事堂**を見学した。

105 ここはだれの**領地**だったのか。

106 **武士**は刀を持っている。

107 親に**感謝**する。

108 おまわりさんが交通指**導**をする。

109 **織**物工場で働く。

110 新しい校**舎**が建った。

111 **授**業中の**態**度が良いとほめられた。

112 **制**服を着て学校へ行く。

113 学校の**規則**を守る。

114 運動会の**準備**をする。

115 **修**学旅行の日**程**表をもらう。

116 二つの国が**統**一されて一つになる。

117 弟は誕生日にプレゼントをもらって**喜**んだ。

118

美術館を設計する。

119

絵や習字を教室に張り出す。

120

永久に平和を守ろう。

121

火事のときは非常口から逃げる。

122

仮分数は分母より分子の方が大きい。

123

講演会が始まる。

124

貿易額が減ってきた。

125

保護者会は来週の水曜日だ。

126

試験の平均点を出す。

127

祖父はいろいろな

経験をしている。

128 国民は税金を払う義務がある。

129 作文に句読点を打つ。

130 学期の終わりに成績表をもらう。

131 往復きっぷを買った。

132 円周率は3.14159・・だが、略して3.14にする。

133 「そして」「けれども」などを接続語という。

134 教師は生徒の学力を評価する。

135 天気予報によると、明日は快晴だそうだ。

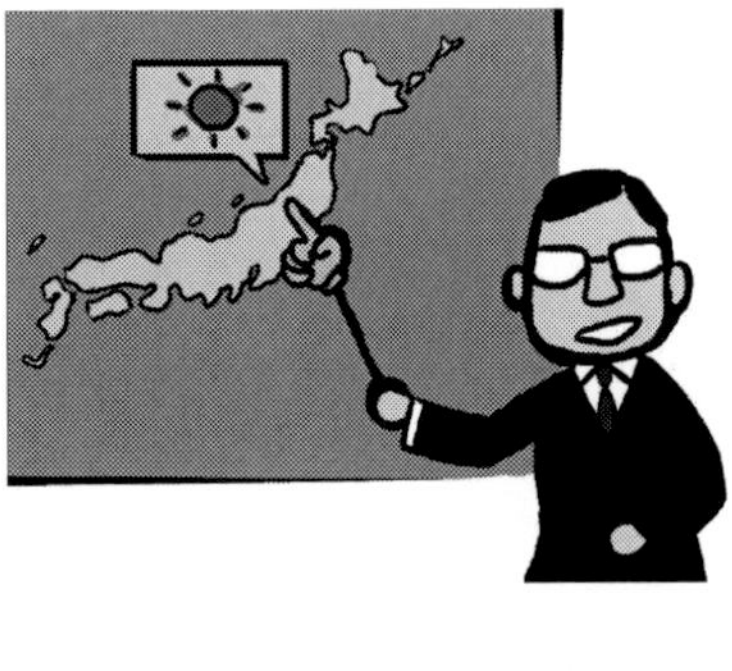

136
朝刊を読むのが父の習慣だ。

137
金、銀、銅などの金属を鉱物という。

138
この薬はかぜに効く。

139
この町は事件が少なくていい町です。

140
女性は男性より長生きだ。

141
六年生の兄は卒業証書をもらった。

142
上野君は習字のコンクールで金賞をもらった。

143
コロンブスは十五世紀に航海に出てアメリカ大陸を発見した。

144
スーパーの広告を見る。

# 六年生の漢字

名前

1 灰皿に夕バコの吸いがらがたくさんある。

2 人間の脳とサルの脳を比べてみる。

3 魚の骨がのどにささった。

4 舌を見せて。

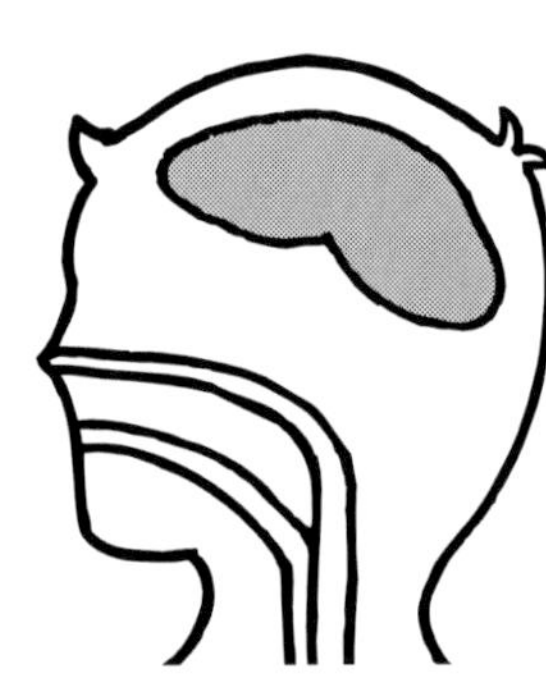

5 針の穴に糸を通す。

6 子どもは砂遊びが大好きだ。

7 夕暮れは家々に電気がついてきれいだ。

8 異常気象が続き、東京の桜が三月初めに咲いた。

9
穴の中からもぐらが
顔を出した。

10
「三時間目は国語？」「時間割を見て」

11
私の班に木村さんがいます。

12
災害時の救済の第一は水の提供です。

13
伊豆諸島は東京より暖かい。

14
世界の三大宗教は
イスラム教、
キリスト教、
仏教です。

15
弟の誕生日は三月八日です。

16
三たす二には五です。簡単な計算ですね。

17 平安時代の貴族の女性は十二単を着ていました。

18 産業革命は印刷機の発明からスタートしました。

19 奈良の法隆寺は日本で最初の世界遺産です。

20 赤い羽根募金で人々の善意のお金を集めています。

21 乱暴な字を書かないでね。

22 視力が弱いので遠くは見えません。

23 台風の翌朝はきれいな青空でした。

24 ここは車がたくさん走っていて、危険だ。

25 頼まれたことを承知する。

26 田中先生は厳しかった。

27 僕は補欠選手だったので、試合には出られなかった。

28 車の模型を集めるのが趣味だ。

29 先生のお宅の住所を教えてください。

30 医は仁術と言われています。

31 敵と戦う。

32 電車の沿線に桜の花がきれいに咲いていました。

33 姉は結婚式に純白の絹のドレスを着ました。

34 あのカメラの値段は三万円です。

35 自己紹介をしてください。

36 ねこが座ぶとんの上にいる。

37 三角形の頂点は三つある。

頂点
頂点
頂点

38 はがきの表に切手をはり、裏に文を書く。

39 先生の忠告をよく聞きましょう。

40 大工さんは建築の専門家です。

41 会社の従業員の中には社長の顔を知らない人もいる。

42 批判的な意見も大切にしよう。

43 彼は警官の服装がよく似合う。

44
僕はオーケストラの指揮をするのが夢です。

45
黒潮の流れで気温が変わります。

46
地層の写真を見ると、色々なことが分かります。

47
「〜ではありません。」は否定文で、「〜ですか。」は疑問文です。

48
幼いころ父の厚い胸に抱かれたり、大きい背中におんぶされたことを思い出す。

49
私の尊敬する人は小学校の担任だった田中先生です。

六年生

50 このテレビは故障しています。

51 九月の天皇陛下と皇后陛下のご訪問国はオランダです。

52 磁石のN極とS極はお互いに引き合う。

53 新幹線の時刻表を買った。

54 包帯を巻く。

55 痛い注射は嫌い。

56 うちでは蚕を飼っている。

57 俳句を読む。

58 日本とあの国は、同盟を結んでいました。

59 頭が痛いので早退した。

古池や
かはず（わ） 飛びこむ
水の音・・・・

60 母の看病をする。

61 寒いので窓を閉める。

62 誤字を直して清書する。

63 母の肩をたたいて、

64 親孝行をする。

神様を拝む。

65 肺で息を吸う。

66 みんなで机を並べる。

67 かみの毛を染める。

68 国民は納税の義務がある。

69 紅葉を見に行く。

70 お墓に花を供える。

71 走ったので心臓がドキドキする。

72 蒸気機関車が走るのが見えた。

73 あの地域は温泉が多い。

74 運動すると筋肉が発達する。

75 激しく雨が降る。

76 誠実な人が好きです。

77 腸は胃の下にある。

78 家族そろって晩ごはんを食べる。

79 この川の源流を調べたい。

80 主食に穀物を食べる。

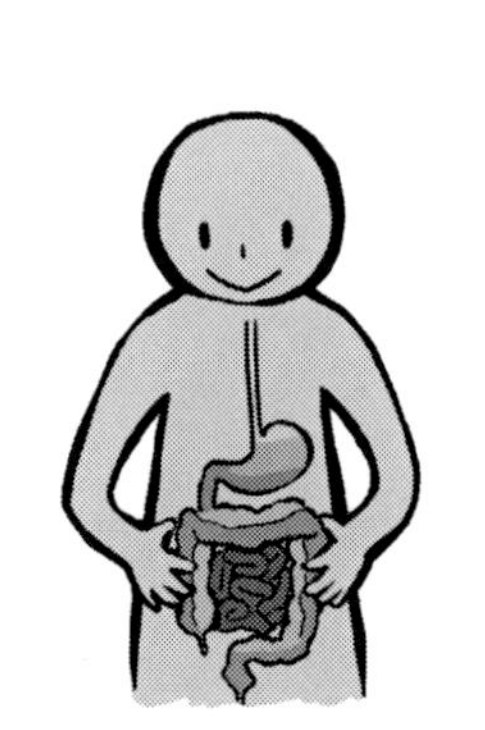

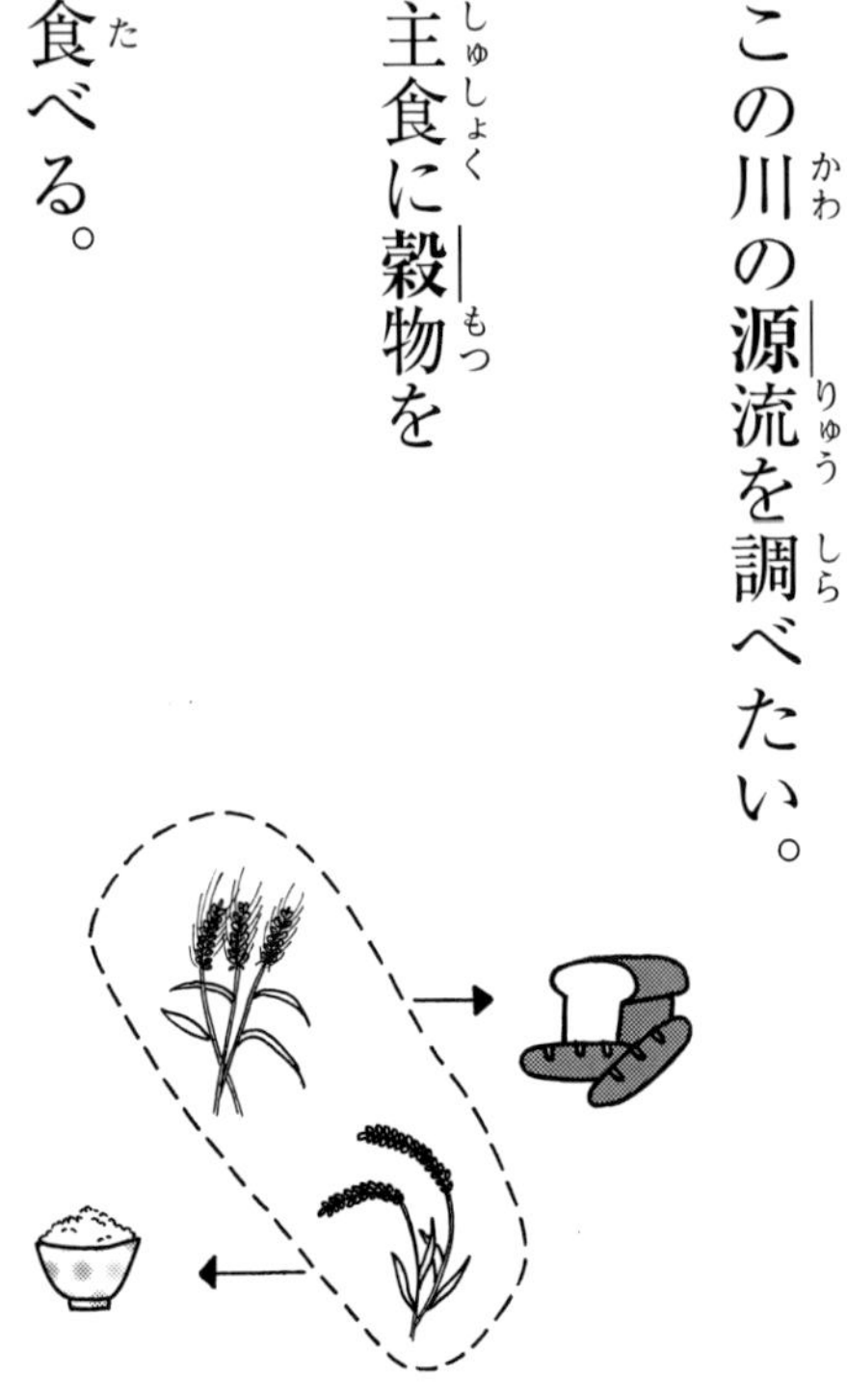

81 クラスで**討論**会(かい)を開(ひら)く。

82 日直(にっちょく)は学級(がっきゅう)日(にっ)**誌**を書(か)く。

83 あれは**鋼**鉄(てつ)で作(つく)った橋(はし)だ。

84 詩(し)の**朗**読(どく)はすばらしかった。

85 足(あし)の**傷**の**処**置(ち)をしてもらう。

86 自分(じぶん)のまちがいを**認**めて謝(あやま)った。

87 田中(たなか)さんは命(いのち)の**恩**人(じん)だ。

88 切(き)り**株**で**樹**木(もく)の年令(ねんれい)が分(わ)かる。

89 **片**方(ほう)のくつ下(した)がなくて、**探**し回(まわ)った。

90 新型(しんがた)の**除**雪車(せっしゃ)が来(き)た。

91 姉(あね)のピアノの演(えん)**奏**会(かい)に行(い)く。

92 この荷物を至急、届けてください。

93 美術館に絵の展覧会を見に行った。

94 ぼくの町の人口の推移を調べる。

95 商品がよく売れるように宣伝する。

96 良い姿勢で勉強するようにと先生に言われる。

97 社会の勉強で裁判所を見学した。

98 庭に洗たく物を干す。

99 漢字の熟語を覚えるのは大変です。

100 救急車を呼ぶ時は消防署に電話する。

101 兄は通訳の勉強をしている。

102 あの人(ひと)が今度(こんど)大臣(だいじん)に**就**任(にん)した女性(じょせい)です。

103 国(こく)**宝**の城(しろ)を見学(けんがく)する。

104 お父(とう)さんは毎日(まいにち)電車(でんしゃ)で通(つう)**勤**している。

105 都(と)**庁**の展望台(てんぼうだい)に上(のぼ)った。

106 **我**々国民(こくみん)は、税金(ぜいきん)の使(つか)われ方(かた)を知(し)る**権**利(り)がある。

107 **垂**直(ちょく)に線(せん)を引(ひ)く。

108 国旗(こっき)の**縦**と横(よこ)を測(はか)る。

109 今(いま)の内(ない)**閣**は物価(ぶっか)を下(さ)げるための政(せい)**策**を考(かんが)えている。

110 コピー機(き)で**拡**大(だい)したり、**縮**小(しょう)したりする。

111 五月三日(ごがつみっか)は**憲**法記念日(ぽうきねんび)だ。

90°

112 法律は守らなければならない。

113 かぎを忘れて、家に入れなくて困った。

114 お皿にカレーライスを盛る。

115 お正月に、郷里へ帰る人が多い。

116 田中君のお姉さんは秘書だ。

117 これは、独創的な作品だ。

118 アフリカでは子どもの死亡率が高い。

119 聖火が赤々と燃えている。

120 体育の時間に体操と鉄棒をする。

121 劇場の幕が静かに開いた。

122 あの将軍は若いが、強くて有名だ。

123 郵便局で記念切手を十枚買った。

124 大きくなったら宇宙飛行士になりたい。

125 意欲を持って勉強しよう。

126 火星も地球も太陽系に属している。

127 この本の著者は科学者だ。

128 雨で、野球の試合が延期になった。

129 東京は、人口密度が高い。

130 図書館で本を三冊借りた。

131 長い作文を、四つの段落に分けて書いた。

132 日本語は、助詞が難しい。

133
銀行にお金を預ける。

134
野菜を冷蔵庫に入れて保存する。

135
オリンピックの映画を見て興奮した。

136
卵と、牛乳と、砂糖と、
小麦粉で、おいしい
ケーキを作った。

137
ぼくはおじいさんの尺八を聞くのが好きだ。

138
反対派が多いから、今度の衆議院選挙は
父の党が勝つか分からない。

139
父が、臨時収入があったからと言って、
時計を買ってくれた。

140
昔、一円の百分の一は一銭だった。

141

腹とはおなかのことです。

142

一寸とは昔の長さの単位で約三センチのことです。小さいことや少しのことを言うときにも使います。

143

土俵ですもうをとる。

144

私の学校は全国合唱コンクールで優勝した。

145

大掃除でたくさんゴミを捨てました。

146

京都から東京までの新幹線の運賃はいくらですか。

147

カレーライスの券を買う。

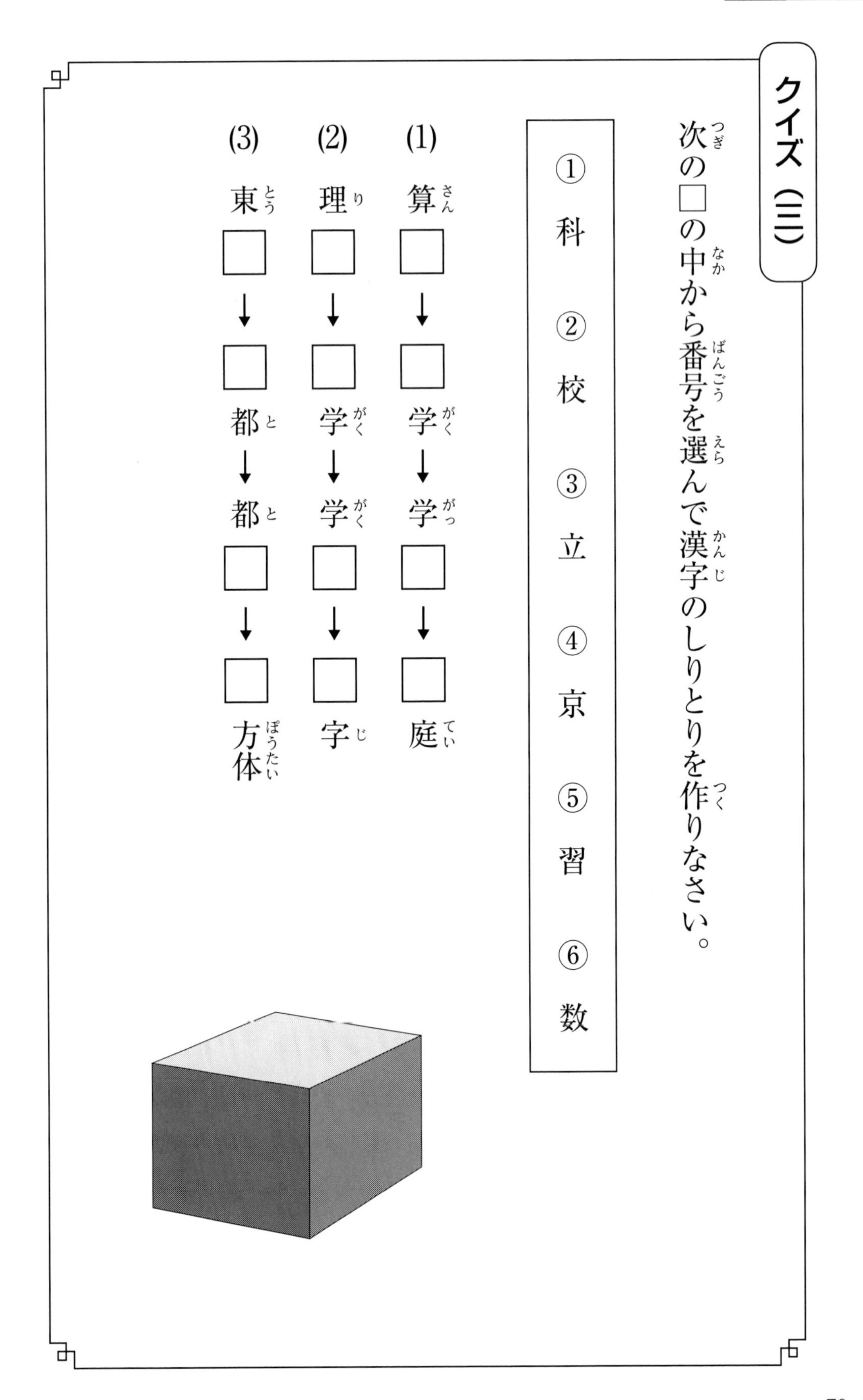

## クイズ（三）

次の□の中から番号を選んで漢字のしりとりを作りなさい。

① 科　② 校　③ 立　④ 京　⑤ 習　⑥ 数

(1) 算□ → □学 → 学□ → □庭

(2) 理□ → □学 → 学□ → □字

(3) 東□ → □都 → 都□ → □方体

## クイズ（四）

次(つぎ)の□の中(なか)から番号(ばんごう)を選(えら)んで漢字(かんじ)のしりとりを作(つく)りなさい。

① 行　② 中　③ 実　④ 分　⑤ 合

(1) 採集(さいしゅう) → 集(しゅう)□ → □格(かく) → 格差(かくさ)

(2) 背(せ)□ → □身(み) → 身(み)□

(3) 旅(りょ)□ → □事(じ) → 事(じ)□ → □力(りょく)

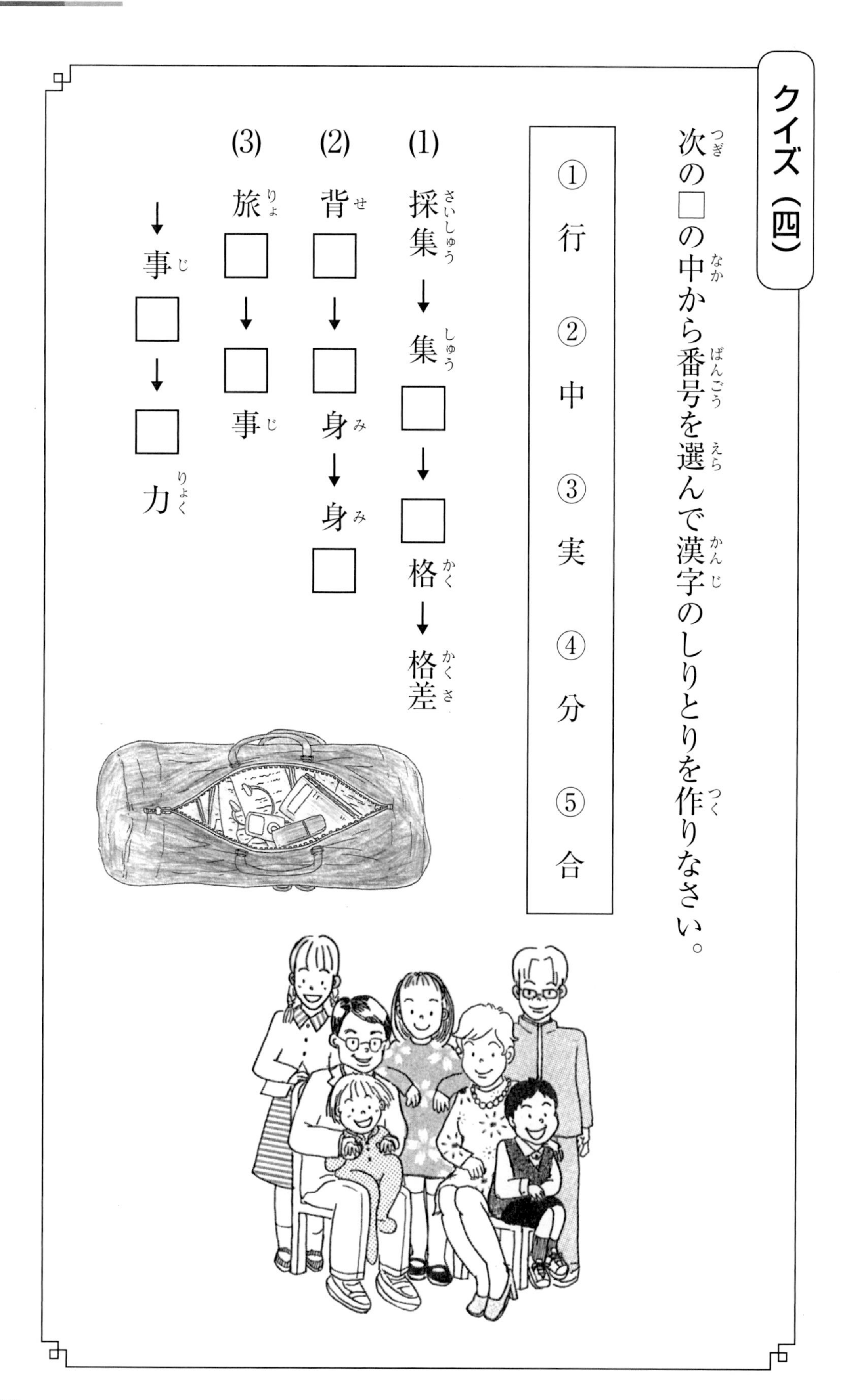

# ももたろう

昔々　ある　所に

おじいさんと　おばあさんが　いました。

ある日　おばあさんが　川で　洗濯を　して　いると、

どんぶらこっこ　どんぶらこ　と

大きい　ももが　流れて　きました。

おばあさんは　その　ももを　うちへ　持って　帰りました。

おじいさんと　おばあさんは　ももが　大好きです。

「おいしそうな　もも、さあ　食べましょう。」

おばあさんは　包丁で　ももを　切りました。

すると　中から　元気な　赤ちゃんが　出て　きました。

「おお、かわいい　男の　子だ。」

「ももから　生まれたので　ももたろうと　名前を
つけましょう。」

「それが　いい。それが　いい。」

ももたろうは
たくさん　食べて
大きく　なりました。
そして　強く　なりました。

おにが島に　悪い　おにが
住んで　いました。
おには　村に　来て、米を　とったり、
子どもを　さらったり　しました。
ももたろうは
「おにを　たいじに　行きます。」と
言いました。

おばあさんは　日本一の　きびだんごを　作りました。

ももたろうは　きびだんごを　持って
おにたいじに　出かけました。

ももたろうが　歩いて　いくと、
犬が　来ました。
「ワンワン、ももたろうさん、
きびだんごを　一つ　ください。
わたしも　おにが島へ　行きます。」と　言いました。
ももたろうは　犬に　きびだんごを　一つ　やりました。

ももたろうと　犬が　歩いて　いくと、今度は　さるが
来ました。「キャッ、キャッ、ももたろうさん、きびだんごを
一つ　ください。私も　おにたいじに　行きます。」と
言いました。ももたろうは　さるにも　きびだんごを
一つ　やりました。

ももたろうと　犬と　さるが
歩いて　いくと、こんどは　きじが　来ました。
「ケーン、ケーン、ももたろうさん、きびだんごを　一つ　ください。
私も　おにたいじに　行きます。」と言いました。
ももたろうは　きじにも　きびだんごを　一つ　やりました。

ももたろうと　犬と　さると　きじは、
山を　こえ　谷を　こえ、海を　こえて、
おにが島に　着きました。

ももたろうは　大きい　声で
「日本一の　ももたろうが
おにを　たいじに　来た。」
と言いました。

ももたろうは　おにを　投げ飛ばしました。

犬は　かみつき、
さるは　ひっかき、
きじは　つっつきました。

おには　「これから　悪い
ことは　しません。」と
謝りました。

ももたろうは　おにに　宝物（たからもの）を　いっぱい
もらって　帰（かえ）りました。

めでたし、めでたし。

# だいこんと にんじんと ごぼう

昔々、高い 山の 上に
野菜の 国が ありました。
そして、野菜の 国に、
一人の 神様が 住んで いました。

野菜の 神様は たくさんの 野菜を 作りました。
けれども、新しい 野菜を もっと 作りたいと 思いました。
神様は 作りたい 野菜の 絵を かきました。

「ええと、まず　一つは
太くて　大きい　野菜。
次に　細くて　長い　野菜。
それから　もう　一つは
小さくて　短い　野菜。」

神様は　そこで　また　ちょっと
考えました。

「そうだ！　きれいな　模様を　かこう。」

「うわー、きれいな　模様が　かけた！
なかなか　いいぞ。
どんな　名前に　しようかな。」

「うん、そうだ。太くて　長い　野菜は
だいこん。細くて　長い　野菜は　ごぼう。
太くて　短い　野菜は　にんじん。仲良くね。」

「はあい、神様。ありがとうございます。」

さて、この　野菜の　国で　一年に　一度、お祭りが　あります。
全部の　野菜が　神様の　所に　集まります。

今日は　お祭りの　日です。だいこんと　ごぼうと
にんじんは　出かける　前に　おふろに　入ります。
だいこん「よく　洗おう。きれいに　なって
お祭りに　行こう。」
だいこんは　ゴシゴシ　体中、全部
きれいに　洗いました。
ごぼう「おふろは　大きらい！」と
おふろに　入って　すぐに　出ました。

にんじんは　おふろが　大好きです。
「ゆっくり　入って、きれいに　なって　行こう。」
と　思いました。
にんじんは　長く　おふろに　入ってから
お祭りに　行きました。

　神様の　うちには、国中の　野菜たちが
みんな　集まって　いました。
神様は「みんな　よく　来たね。
今日は　お祭りだから　ゆっくり
遊んで　行きなさい。」と言いました。

そこへ　おくれて　だいこんと
ごぼうと　にんじんが　来ました。
だいこんは　真っ白に、
ごぼうは　真っ黒に、にんじんは
真っ赤に　なって　いました。
神様は　びっくりしました。

「何だ。私の　作った　模様は
どうしたんだ。」
「はい、神様。それが　そのう・・・、
あのう・・・。」

　三つの　野菜は　話しました。
だいこんは　きれいに　なるために　体を
ゴシゴシ　洗いすぎて　真っ白に　なって
しまいました。
　ごぼうは　体も　洗わず、急いで　来ました。
どろんこ道で　ころんで　真っ黒に
なって　しまいました。
　にんじんは　おふろに　入りすぎて
真っ赤赤？
　三つの　野菜たちは　神様に「ごめんなさい。
きれいな　模様に　もどしてください。」と　謝りました。

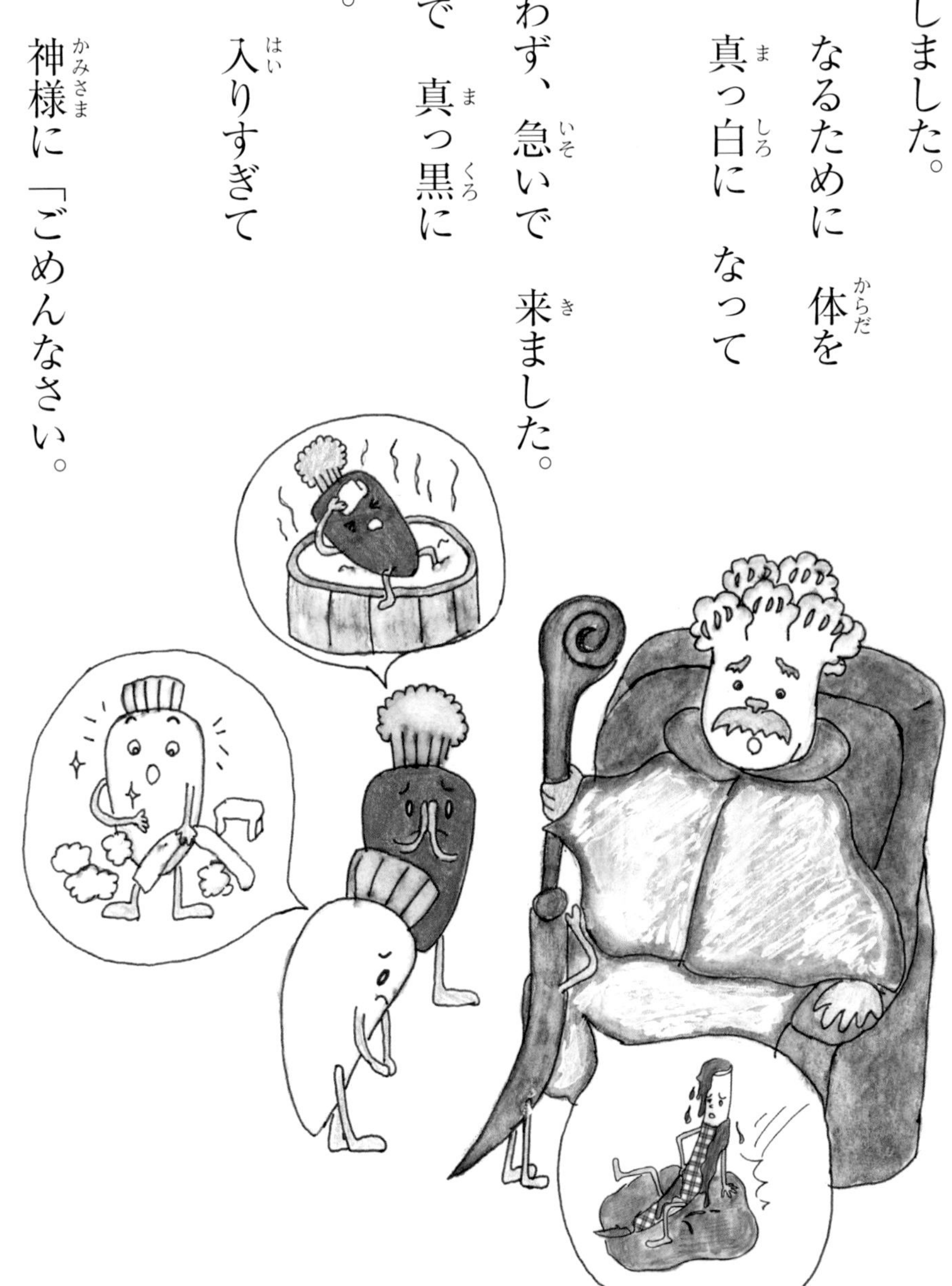

でも、神様は
「もうよい。よい。そのままで　いい。」
と　言いました。

それから　だいこんは　白く、ごぼうは
うす黒く、にんじんは　赤く　なってしまいました。

終わり

# ねずみの　よめいり

ある　所に、ねずみの　夫婦が　住んで　いました。
そこに　かわいい　女の子が　生まれました。
「この　世で　一番　かわいい　子だ。」
「本当に　そうですね。この子には、世界で一番
立派な　むこを　探しましょう。」
　ねずみの　夫婦は　いつも
「同じ　ねずみとは　結婚させない。」
と　話して　いました。

むすめは　大きくなりました。
親ねずみは　大勢の　友達と　話しました。

「夫婦で　世界一の　むこを　探しに　行きます。世界で　一番　立派な　むこは　だれだろう。」

「それは　やっぱり　太陽でしょう。」

みんなが　言いました。それで　親ねずみは　太陽に　会いに　行きました。

「太陽さん、あなたは　世界で　一番です。

どうぞ　私の　かわいい　むすめと　結婚してください。」

　太陽は　答えました。
「ねずみさん、私より、雲さんが　一番です。雲さんが　私の　前に　来ると　私の　光は　みんなに　届きません。」

　そこで、今度は　雲に　会いに　行きました。
「雲さん、雲さん、あなたは　世界で　一番です。どうぞ　私の　かわいい　むすめと　結婚してください。」

　雲は　答えました。
「ねずみさん、私より、風さんが　一番です。風さんが　ぴゅっと　吹くと　すぐに　消えてしまいます。風さん

は　私より　立派で　強いです。」

そこで、今度は　風に　会いに　行きました。

「いえいえ、かべさんが　私より　もっと　立派で　強いです。　私が　いっしょうけんめい　吹いても　かべさんを　通ることが　できません。」

親ねずみは　かべに　会いに　行きました。

「かべさん、かべさん、あなたは　世界で　一番です。どうぞ　私の　かわいい　むすめと　結婚してください。」

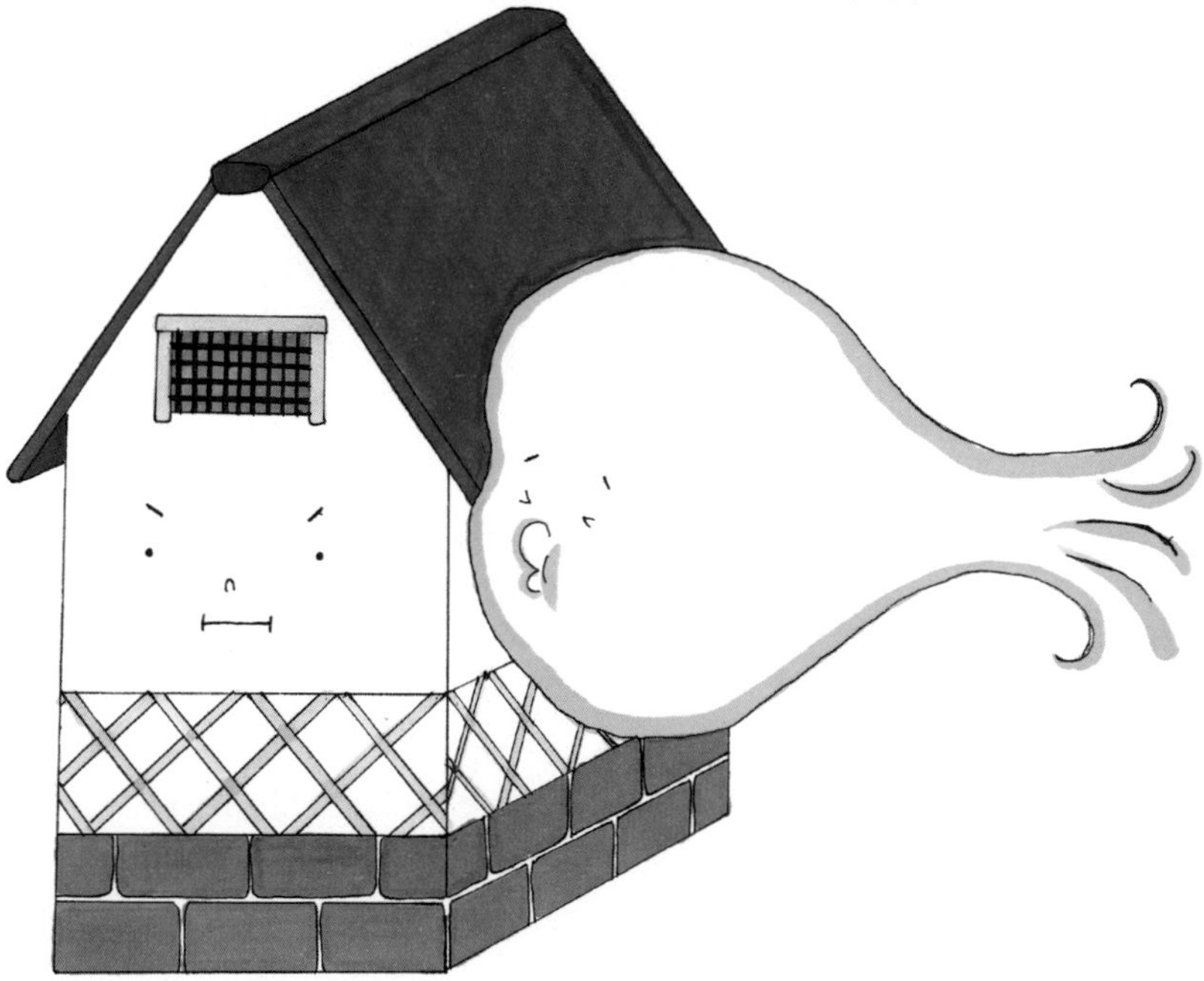

「私より　ずっと　立派で　強い　ものが　います。」

と、かべは　言いました。

「だれですか。」

と　親ねずみは　聞きました。

「じょうぶな　歯を　持ち、どんな　かべでも　穴を
開けてしまうもの」

「それは、ねずみ……。」

と親ねずみ。

「そうです！　ねずみが　一番です。」

「そうか、そうですね。かべに　穴を　開けることは　簡単ですよ。」

親ねずみは　家に　帰りました。
「ああ、つかれた。大勢に　会って、いろいろ
話したね。そして、ねずみが　一番　立派だと
わかった。ねずみが　世界一だ。」
しばらくして　むすめの　チュウ子は
大好きな　チュウスケと　結婚しました。
いつまでも　幸せに　暮らしました。
めでたし　めでたし。

# 浦島太郎

昔、海辺の村に浦島太郎という若者がいました。

ある日、太郎は海辺を歩いていると
大勢の子どもたちが
かめをいじめていました。

太郎「かわいそうだよ。にがしてやりなさい。
弱い者いじめはいけないよ。」

子どもたち「せっかくつかまえたんだからいやだよ！」
太郎「じゃ、私にそのかめを売ってくれないか。」
子どもたち「いいよ。」
子どもたちはかめを置いて帰っていきました。
太郎「かわいそうに。痛かっただろう。
　　もう、つかまるんじゃないよ。」
太郎はそう言いながら、かめを海へ放してやりました。

次の日、太郎が魚をつっていると
きのうの　かめが
泳いで来ました。

かめ「太郎さん、きのうは助けてくださって
ありがとうございました。
お礼に　海の中の竜宮城に
お連れします。」

かめは、太郎を背中に乗せると
海にもぐって行きました。

寒い海に育つこんぶや、暖かい海にあるさんごがいっしょになっている所をぬけると
きらきら光る竜宮城に着きました。

おどろいている太郎を
美しいおひめ様が出むかえました。
おとひめ「きのうはかめを助けてくださって、ありがとうございました。私はおとひめといいます。
どうぞゆっくり遊んでいってくださいね。」

竜宮城のおとひめ様は、何度も何度も
お礼を言いました。

太郎の前には
見たこともないごちそうが、並びました。
魚のたいやひらめのおどりも、楽しかったです。
次の日も、次の日も
太郎は竜宮城で遊びました。
毎日、毎日が夢のように楽しく過ぎていきました。
楽しく暮らしているうちに
あっという間に三年が過ぎてしまいました。

太郎は、お母さんを思い出しました。

太郎「お母さんが心配している。もう帰らなければいけない。」

太郎はおとひめ様に言いました。

太郎「あまり楽しくて、つい、ゆっくりしてしまいました。私は帰らなければなりません。」

おとひめ「それではおみやげにこの玉手箱をさし上げましょう。この玉手箱を持っていたら、ここへもどれます。でも、もどって来るまで、決して箱を開けてはいけませんよ。」

おとひめ様は悲しそうな顔をしながら、太郎に玉手箱を渡しました。

太郎はかめの背中に乗って
海辺の村に帰って来ました。

太郎は村に帰りましたが、
家がありません。
お母さんもいないし、会う人はみんな、
知らない人ばかりです。

村の人「三百年も前に、浦島太郎という若者が
海に出たまま、帰って来なかったという
話を聞いたことがある。」

太郎は三年だと思っていましたが、
本当は三百年も過ぎていたのです。

さびしくなった太郎は
約束を忘れて玉手箱を開けてしまいました。

すると、
中からぱっと白いけむりが出て
太郎は白髪のおじいさんに
なってしまいました。

終わり

# つるの恩返し

昔々、山の中に　一人の若者が住んでいました。
まきにする木を切って、町に売りに行く
仕事をしていました。

あるとき、若者はいつものように
山の中で木を切っていました。

「クー・・・。」
羽(はね)に矢(や)がささっている一羽(いちわ)のつるが
苦(くる)しそうにしていたのです。

「かわいそうに。
だれがこんなことをしたんだろう。」と、
言(い)いながら、若者(わかもの)は矢(や)をぬいて、
持(も)っていた薬(くすり)を傷口(きずぐち)につけてあげました。

「もうだいじょうぶだよ。飛んでごらん。」と言って、
つるを　空に向かって放しました。
つるは　うれしそうに飛んでいきました。
つるは　だんだん遠くなり、見えなくなりました。

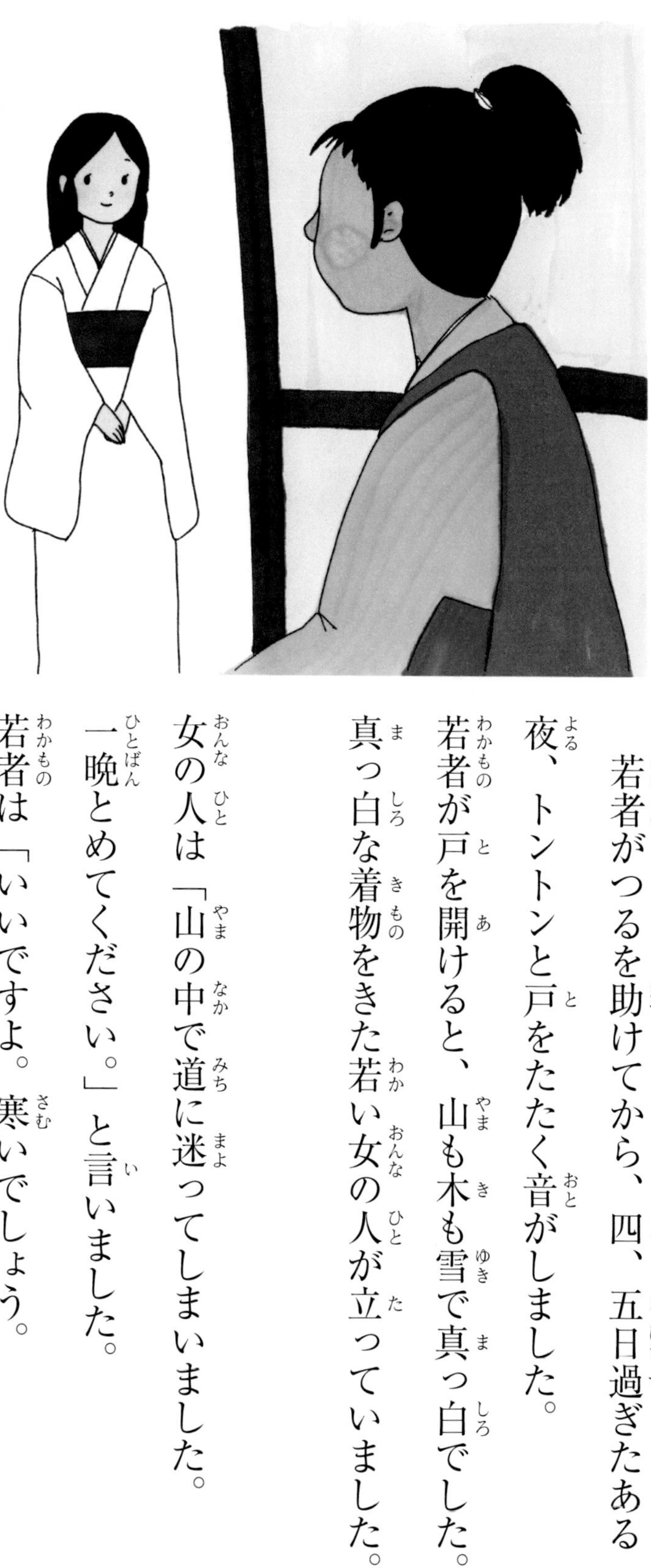

若者がつるを助けてから、四、五日過ぎたある夜、トントンと戸をたたく音がしました。

若者が戸を開けると、山も木も雪で真っ白でした。

真っ白な着物をきた若い女の人が立っていました。

女の人は「山の中で道に迷ってしまいました。

一晩とめてください。」と言いました。

若者は「いいですよ。寒いでしょう。

どうぞ、中に入ってください。」と言いました。

次の日も次の日も雪が降って、外には出られませんでした。

女の人は若者の食事を作ったり、家をきれいに片づけたり、毎日働きました。

そして「どうぞ私をいつまでもここに置いてください。」と、女の人が言いました。

若者はうれしそうに笑って、

「ありがとう。どうぞいつまでもいてください。」

と言いました。

若者と女の人は、仲良く暮らしはじめました。

ある日、女の人は若者にたのみました。

「布を織りたいので、はたおり小屋を建ててください。」

「いいよ。」若者は家のとなりに小屋を建てました。

女の人は「布を織っている間は絶対にのぞかないでくださいね。」と言いました。

そして、若者が町で買ってきた糸を持って小屋に入りました。
はたを織っている音が、キーバッタン、キーバッタンと、聞こえました。
三日目の夜、女の人は真っ白に光る美しい布を若者に渡して言いました。
「これを町に持って行って売ってください。」

美しい布は、町で高く売れました。

若者はお金をたくさんもらえるので大喜びでした。

何回も女の人にたのみました。


女の人はだんだんやせて細くなりました。

若者が「また、美しい布を織ってくれ。」と、たのみました。

女の人は「これが最後ですよ」と小さい声で答えて小屋に入って行きました。後ろ姿は元気がなく、やせてとても細くなっていました。

若者は心配になって「もう織らなくてもいいよ！」と、大きな声で言いましたが、
キーバッタン、キーバッタンと、はたを織る音だけが聞こえました。

若者は心配で、女の人との約束を忘れて、のぞいてしまいました。小屋の中にはやせたつるが自分の羽をぬいて布を織っていました。

若者はびっくりしました。

「あっ、つる！」

つるは、ふり向きました。

そしてまた、女の人になりました。

「私は前にあなたに助けてもらったつるです。ご恩返しがしたくて、ここに来ました。でもつるの姿を見られてしまいました。お別れしなければなりません。」女の人は悲しそうに言いました。

若者は「許してください。どうぞ、いつまでも私といっしょにいてください！」
と言いました。
しかし、女の人は泣きながら、首を横にふりました。
女の人は白いきれいなつるに変わり、空高く飛んで行きました。

クークークー・・・・

若者は追いかけましたが、つるの姿は
山の向こうに見えなくなりました。
「ありがとう。さようなら。」
若者は大きく手を振りながら、叫びました。

終わり

# かぐや姫(ひめ)

昔々(むかしむかし)、ある所(ところ)におじいさんとおばあさんがいました。この夫婦(ふうふ)には子(こ)どもがいませんでした。おじいさんは竹(たけ)を切(き)って、それを売(う)って生活(せいかつ)していました。

ある日(ひ)、おじいさんがいつものように山(やま)へ竹(たけ)を切(き)りに行(い)くと、金色(きんいろ)に光(ひか)っている竹(たけ)を見(み)つけました。びっくりして、その竹(たけ)を切(き)ったところ、中(なか)から光(ひか)り輝(かがや)く小(ちい)さなかわいい女(おんな)の子(こ)が現(あらわ)れました。

おじいさんはその女の子を大切に抱いて家へ帰りました。おばあさんもびっくりしました。

「きっと神様が私たちに子どもをくださったんですね。」

喜んだ二人はその女の子に、「かぐや姫」と名前をつけて、大切に育てました。

それからは竹を切りに行くと、金がざくざく出てきておじいさんは大金持ちになりました。

大切に育てられたかぐや姫は美しく成長していきました。おじいさんもおばあさんも、それはそれは幸せでした。

かぐや姫の美しさは国中で評判になりました。

「そんな美しい人なら、ぜひ私の妻になってほしい。」と毎日のように貴公子が求婚に来ましたが、かぐや姫は誰にも「うん」と言いませんでした。

熱心に求婚に来た五人の貴公子にかぐや姫は条件を言いました。

一人の貴公子にはインドの仏の石の鉢を、
二人目には中国にいる火ねずみの皮を、
三人目には龍の首の五色の珠を、
四人目には東の方にある山の玉の枝を、

最後の貴公子にはつばめの持っている子安貝を持って来るように言いましたが、誰一人、本物を持って来ませんでした。

かぐや姫は「誰も私の願いをとげた、勇気ある人はいません。」と悲しみ、誰とも結婚しませんでした。

ある日、天皇がかぐや姫に会いに来ました。天皇は今までの五人とは違う立派な方でした。かぐや姫も気持ちが通じて、何回か会うようになりました。

そんなある日、かぐや姫が月を見て、さみしそうに涙を流しました。

心配するおじいさんとおばあさんに

「これまで私を育ててくださって、本当にありがとうございました。あの月が満月になったら、私は月に帰ります。私はこの世の人間ではないのです。」

と打ち明けました。

それを聞いたおじいさんとおばあさんはとてもびっくりして、天皇に相談しました。さっそく月からの迎えを追い返そうと準備を始めました。

ついに満月の日が来ました。大勢の人がかぐや姫を守ろうとしましたが、月からの迎えは強い光を出して、みんなの目が見えなくなりました。

その間にかぐや姫は月に帰って行ってしまいました。おじいさんとおばあさんはとても悲しみました。

でもかぐや姫との幸せな生活を思い出しながら、仲良く暮しました。

終わり

## クイズの答え

### クイズ（一）

(1) ④
(2) ⑤
(3) ⑦
(4) ③
(5) ②
(6) ⑥

### クイズ（二）

(1) ②
(2) ④
(3) ③
(4) ①
(5) ⑤

### クイズ（三）

(1) ⑥→⑥→②→②
(2) ①→①→⑤→⑤
(3) ④→④→③→③

### クイズ（四）

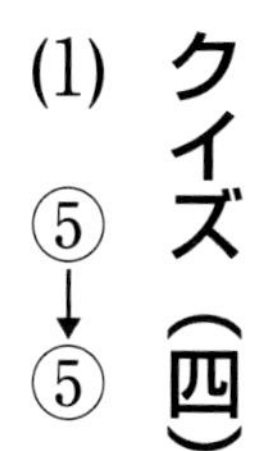

(1) ⑤→⑤
(2) ②→②→④
(3) ①→①→③→③

出発
1 朝の新聞のこと
2 必ず要ること
3 みんなで人を選ぶこと
4 学校で生徒が食べる昼ごはん
5 朝刊
6 馬に乗ってもう一回やる
新聞
投票箱
7 選挙
8 きれいに書き直すこと
9 新しく建てること
10 必要
11 決めたこと
12 温泉に入る 二回休み
13 給食
14 住んでいる場所
15 勤めている所に通うこと
16 交番 一回休み
KOBAN
17 泳ぐこと
18 親しい友だち
19 普通と異なっていること
20 新築
21 決定
22 住所
23 学校に入ること
24 清書
25 通勤
26 鳥に乗ってもどる
27 異常
28 入学
29 水泳
30 親友
31 走ったり体を動かしたりすること
32 罪を犯した人
33 運動
34 危ないこと
35 病院 一回休み
36 犯人
37 国へ帰ること
38 交番にもどる
39 海の底
40 危険
41 帰国
42 地球が暖かくなること
43 国の宝のこと
44 海底
45 地球温暖化
46 宇宙船に乗ってもどる
国宝
到着

# 各学年配当漢字表（音読み）

| | 一年（八〇字） | 二年（一六〇字） | 三年（二〇〇字） |
|---|---|---|---|
| あ行 | 一・右雨・円・王音 | 引・羽雲・園遠 | 悪安暗・医委意育員院飲・運・泳駅・央横屋温 |
| か行 | 下火花貝学・気九・休玉金・空・月犬見・五口校 | 何科夏家歌画回会海絵外角楽活間丸岩顔・汽記帰弓牛魚京強教近兄形計元言原・戸古午後語工公広交光考行高黄合谷国黒今 | 化荷界開階寒感漢館岸・起期客究急級宮球去橋業曲局銀・区苦具君・係軽血決研県・庫湖向幸港号根 |
| さ行 | 左三山・子四糸字耳七車手十出女小上森人・水・正生青夕石赤千川先・早草足村 | 才細作算・止市矢姉思紙寺自時室社弱首秋週春書少場色食心新親・図数・西声星晴切雪船線前・組走 | 祭皿・仕死使始指歯詩次事持式実写者主守取酒受州拾終習集住重宿所暑助昭消商章勝乗植申身神真深進・世整昔全・相送想息速族 |
| た行 | 大男・竹中虫町・天田・土 | 多太体台・地池知茶昼長鳥朝直・通・弟店点電・刀冬当東答頭同道読 | 他打対待代第題炭短談・着注柱丁帳調・追・定庭笛鉄転・都度投豆島湯登等動童 |
| な行 | 二日入・年 | 内南・肉 | 農 |
| は行 | 白八・百・文・木本 | 馬売買麦半番・父風分聞・米・歩母方北 | 波配倍箱畑発反坂板・皮悲美鼻筆氷表秒病品・負部服福物・平返勉・放 |
| ま行 | 名・目 | 毎妹万・明鳴・毛門 | 味・命面・問 |
| や行 | | 夜野・友・用曜 | 役薬・由油有遊・予羊洋葉陽様 |
| ら・わ行 | 立力林・六 | 来・里理・話 | 落・流旅両緑・礼列練・路・和 |

| | 四年（二〇二字） | 五年（一九三字） | 六年（一九一字） |
|---|---|---|---|
| あ行 | 愛案・以衣位茨印・英栄媛塩・岡億 | 圧・囲移因・永営衛易益液演・応往桜 | 胃異遺域・宇・映延沿・恩 |
| か行 | 加果貨課芽賀改械害街各覚潟完官管関観願・岐希季旗器機議求泣給挙漁共協鏡競極・熊訓軍郡群・径景芸欠結建健験・固功好香候康 | 可仮価河過快解格確額刊幹慣眼・紀基寄規喜技義逆久旧救居許境均禁・句・型経潔件険検限現減・故個護効厚耕航鉱構興講告混 | 我灰拡革閣割株干巻看簡・危机揮貴疑吸供胸郷勤筋・系敬警劇激穴券絹権憲源厳・己呼誤后孝皇紅降鋼刻穀骨困 |
| さ行 | 佐差菜最埼材崎昨札刷察参産散残・氏司試児治滋辞鹿失借種周祝順初松笑唱焼照城縄臣信・井成省清静席積折節説浅戦選然・争倉巣束側続卒孫 | 査再災妻採際在財罪殺雑酸賛・士支史志枝師資飼示似識質舎謝授修述術準序招証象賞条状常情織職・制性政勢精製税責績接設絶・祖素総造像増則測属率損 | 砂座済裁策冊蚕・至私姿視詞誌磁射捨尺若樹収宗就衆従縦縮熟純処署諸除承将傷障蒸針仁・垂推寸・盛聖誠舌宣専泉洗染銭善・奏窓創装層操蔵臓存尊 |
| た行 | 帯隊達単・置仲沖兆・低底的典伝・徒努灯働特徳栃 | 貸態団断・築貯張・停提程適・統堂銅導得毒独 | 退宅担探誕段暖・値宙忠著庁頂腸潮賃・痛・敵展・討党糖届 |
| な行 | 奈梨・熱念 | 任・燃・能 | 難・乳認・納脳 |
| は行 | 敗梅博阪飯・飛必票標・不夫付府阜富副・兵別辺変便・包法望牧 | 破犯判版・比肥非費備評貧・布婦武復複仏粉・編弁・保墓報豊防貿暴 | 派拝背肺俳班晩・否批秘俵・腹奮・並陛閉片・補暮宝訪亡忘棒 |
| ま行 | 末満・未民・無 | 脈・務夢・迷綿 | 枚幕・密・盟・模 |
| や行 | 約・勇・要養浴 | 輸・余容 | 訳・郵優・預幼欲翌 |
| ら・わ行 | 利陸良料量輪・類・令冷例連・老労録 | 略留領・歴 | 乱卵覧・裏律臨・朗論 |

# 目　次

## 算　数

# 算数　Ⅰ～Ⅶ

# Ⅰ 単位

単位　時間　分　秒　時刻　午前
正午　午後　長さ　高さ　重さ　量
面積　体積

## 1 時間

1年＝３６５日　（4年に一度のうるう年は３６６日）

1週間＝7日　　1日＝２４**時間**

1**時間**＝６０分　1分＝６０**秒**

## 2 時刻と時間

### ① 時刻

今　何時ですか。　　9時１５分です。

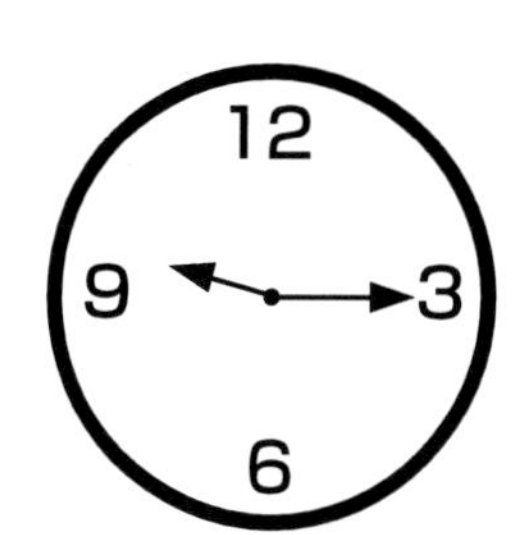


**午後**１時は１３時です。　**午後**8時は２０時です。

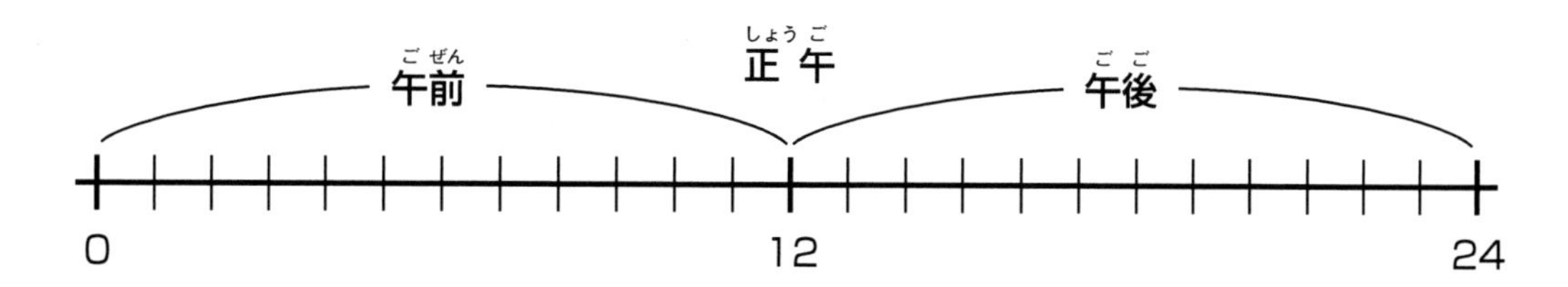

② **時間**

１０時から１１時半まで本を読みました。１**時間**半読みました。

## ３　長さと高さ

### **長さ**の**単位**

mm　（ミリメートル／ミリ）

ｃｍ　（センチメートル／センチ）

m　　（メートル）

ｋｍ　（キロメートル／キロ）

１ｃm＝１０mm、　１m　＝１００ｃｍ、　１ｋｍ＝１０００m

私のノートは、縦２５センチ、横１８センチです。

この橋の**長さ**は５００mです。

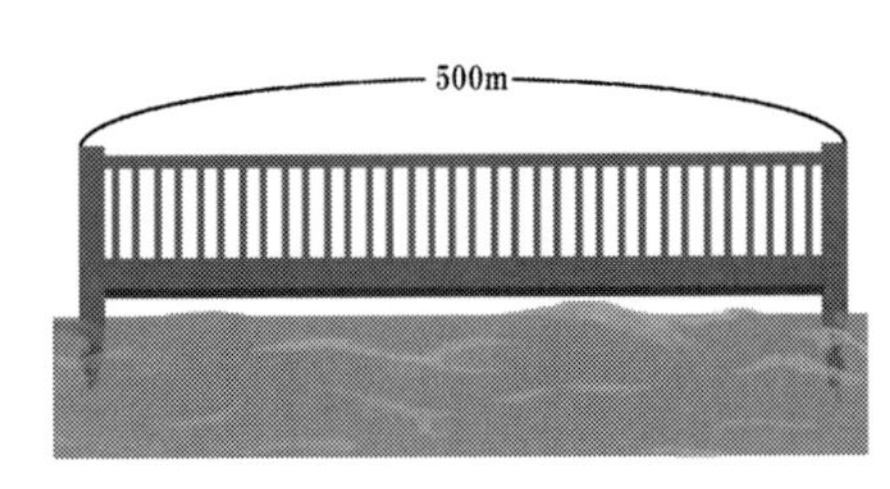


私の家から駅まで１キロです。

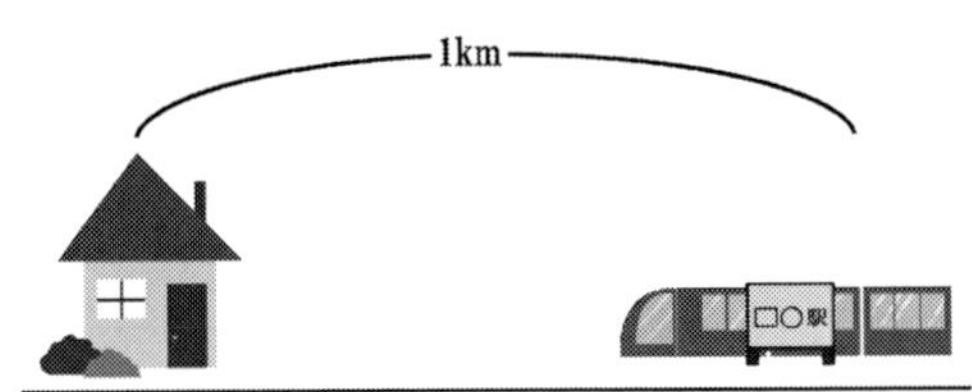


私の背の**高さ**は１メートル５５センチです。

富士山の**高さ**は３７７６mです。

## ４　重　さ

### 重さの単位

ｇ（グラム）　ｋｇ（キログラム／キロ）　ｔ（トン）

１ｋｇ＝１０００ｇ　１ｔ＝１０００ｋｇ

１円玉１こは、１グラムです。たまご１こは、約５０グラムです。

弟の体重は５０キロです。

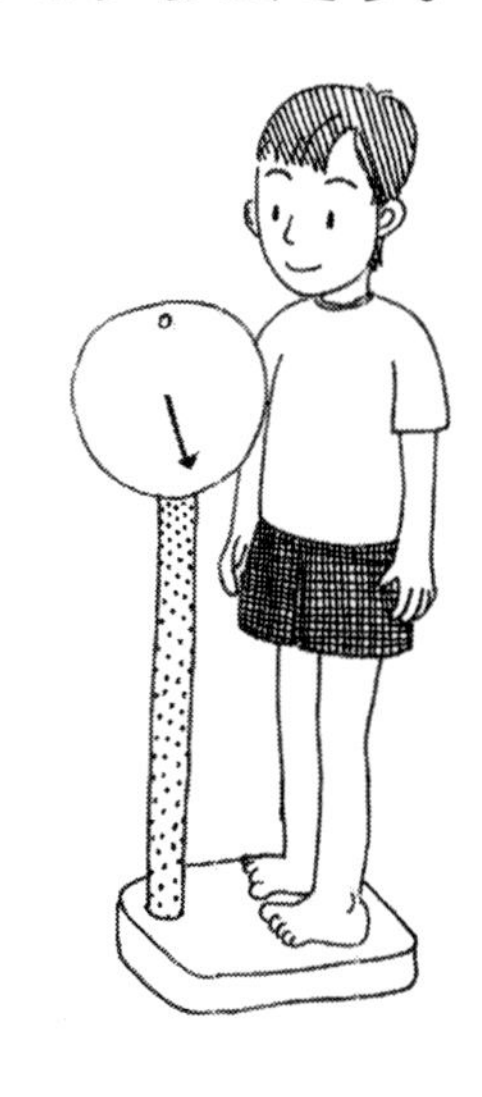

この象の体重は４トンです。

## ５　面　積

### 面積の単位

ｍ$^{2}$（平方メートル）　ａ（アール）　ｈａ（ヘクタール）

ｋｍ$^{2}$（平方キロメートル）

１ｍ$^{2}$　＝１００００ｃｍ$^{2}$（１００ｃｍ×１００ｃｍ）

１ｈａ　＝１００ａ（１００ｍ×１００ｍ）

１ｋｍ$^{2}$　＝１００ｈａ

## 6 かさ

### かさの単位

水の量をかさといいます。

mℓ（ミリリットル／ミリ）

dℓ（デシリットル）

ℓ　（リットル）

1ℓ　＝10dℓ　＝1000mℓ

1kℓ　＝1000ℓ

牛乳には1リットルパックや500ミリリットルパックなどがあります。

## 7 体積

### 体積の単位

$cm^3$　立方センチメートル

$m^3$　立方メートル

$1cm^3$　＝$1000mm^3$（10mm×10mm×10mm）

$1m^3$　＝$1000000cm^3$

$1m^3$　＝1000ℓ

### 体積の単位とかさの単位の関係

$1cm^3$　＝1mℓ

$100cm^3$　＝1dℓ（100mℓ）

$1000cm^3$　＝1ℓ（1000mℓ）

# Ⅱ　数

## 1　位

**位　一　十　百　千　万　億　兆　約**

| 兆 | | | | 億 | | | | 万 | | | | 千 百 十 一 | | | |
|---|---|---|---|---|---|---|---|---|---|---|---|---|---|---|---|
| 千兆の位 | 百兆の位 | 十兆の位 | 一兆の位 | 千億の位 | 百億の位 | 十億の位 | 一億の位 | 千万の位 | 百万の位 | 十万の位 | 一万の位 | 千の位 | 百の位 | 十の位 | 一の位 |
| 3 | 0 | 1 | 5 | 6 | 7 | 8 | 9 | 7 | 1 | 2 | 8 | 3 | 4 | 1 | 2 |

三千十五兆　六千七百八十九億七千百二十八万　三千四百十二

世界の国は１９３カ国です。(2010年外務省)

(ひゃくきゅうじゅうさんかこく)

日本の人口は約１　２７６９　２０００人です。(平成20年10月政府統計)

(いちおく　にせんななひゃくろくじゅうきゅうまん　にせんにん)

アジアの人口は約３７　００００　００００人です。(2010年国連データ)

(さんじゅうななおくにん)

世界の人口は約６９　００００　００００人です。(2010年国連データ)

(ろくじゅうきゅうおくにん)

## 2 整数

**整数　偶数　奇数　割り切れる　余り**
**和　筆算　差　積　倍　商**

### ① 整数

・**整数**は0、1、2、3、4、5、6、7、8、9の10この数字で表すことができます。

(例) 23、165、9051、12375、649010

・**整数**の中に**偶数**と**奇数**があります。

**偶数**は0、2、4、6、8、10、12、14のように、2で**割り切れる整数**のことです。

(例) 304 ÷ 2 = 152 (「2」で**割り切れる**)

**奇数**は1、3、5、7、9、11のように、2で割り切れない**整数**のことです。

(例) 15 ÷ 2 = 7 **余り** 1 (**余り**が出る＝割り切れない)

② 計算

【たし算】 **和**（たし算の答え）

$16 + 5 = 21$

【ひき算】 **差**（ひき算の答え）

$60 - 4 = 56$

【かけ算】 **積**（かけ算の答え）

$3 \times 2 = 6$

（3を2**倍**する）

【わり算】 **商**（わり算の答え）

$64 \div 4 = 16$

$26 \div 4 =$ 6 **余り** 2

**【筆算】**

たし算

$$\begin{array}{r} 16 \\ +\ \ 5 \\ \hline 21 \end{array}$$

ひき算

$$\begin{array}{r} 60 \\ -\ \ 4 \\ \hline 56 \end{array}$$

かけ算

$$\begin{array}{r} 3 \\ \times 2 \\ \hline 6 \end{array}$$

わり算

$$\begin{array}{r} 16 \\ 4 \overline{)64} \\ 4\phantom{0} \\ \hline 24 \\ 24 \\ \hline 0 \end{array}$$

## 3 小数

**小数　小数点　数直線　小数第一位**
**くり上がり　くり下がり**

① **小数**

0.1 や 2.5 のような数を**小数**といいます。2.5 の「.」を**小数点**といいます。

### 数直線(すうちょくせん)

## ② 小数(しょうすう)のしくみ

マラソンの距離(きょり)は42．195ｋｍ
（よんじゅうにてんいちきゅうごキロ）

| 4 | 2 | . | 1 | 9 | 5 km |
|---|---|---|---|---|---|
| 十の位(じゅうのくらい) | 一の位(いちのくらい) | **小数点(しょうすうてん)** | **小数第一位(しょうすうだいいちい)** | 小数第二位(しょうすうだいにい) | 小数第三位(しょうすうだいさんい) |

1 ＝ 0.1 × 10、1 ＝ 0.01 × 100、1 ＝ 0.001 × 1000

## ③ 小数(しょうすう)の計算(けいさん)

### 筆算(ひっさん)

【たし算(ざん)】

```
  12.57        8.00        5.45
+  6.2       + 2.35      + 3.55
  18.77       10.35        9.00
```

（位(くらい)をそろえます）（8は8.00と考(かんが)えます）（答(こた)えは9と書(か)きます。**くり上(あ)がり**に気(き)をつけましょう）

【ひき算(ざん)】

```
  7.25        5.00
- 6.48      - 2.89
  0.77        2.11
```

（**くり下(さ)がり**に気(き)をつけましょう）（5は5.00と考(かんが)えます）

【かけ算】（小数点以下のけた数は、かけられる数とかける数の小数点以下の和になります。）

**小数**×整数

```
   2.31 → 小数点以下2けた
×    18
 ------
   1848
   231
 ------
  41.58 → 小数点以下2けた
```

整数×**小数**

```
    862
 ×0.23 → 小数点以下2けた
 ------
   2586
  1724
 ------
 198.26 → 小数点以下2けた
```

**小数**×**小数**

```
    41.2 → 小数点以下1けた
 ×   2.7 → 小数点以下1けた
 -------
    2884
    824
 -------
  111.24 → 小数点以下2けた
```

【わり算】（わる数が整数になるように、小数点の位置を移して計算します。）

**小数**÷整数

```
      6.4
   -------
 4 ) 25.9
     24
   -------
      1 9
      1 6
   -------
      0.3  余り
```

整数÷**小数**

```
              3              3.2
     ----     ---            ----
2.5 ) 8  → 25 ) 80  →  25 ) 80.
                 75              75
                ---             ---
                  5              50
                                 50
                                ---
                                  0
```

**小数**÷**小数**

```
                       6.4
             ----     -----
6.7 ) 43.3  →  67 ) 433
                    402
                   -----
                     310
                     268
                   -----
                     4.2  余り
```

## 4　倍数・約数

| | | |
|---|---|---|
| **倍数** | **公倍数** | **最小公倍数** |
| **約数** | **公約数** | **最大公約数** |

### ①　倍　数

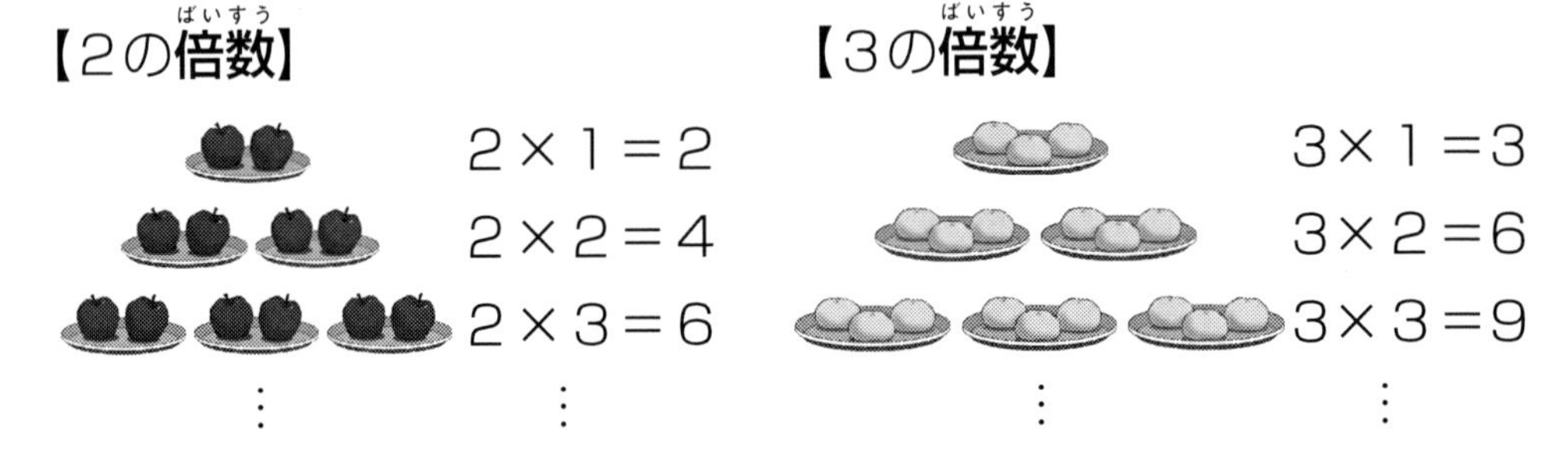


### ②　公倍数・最小公倍数

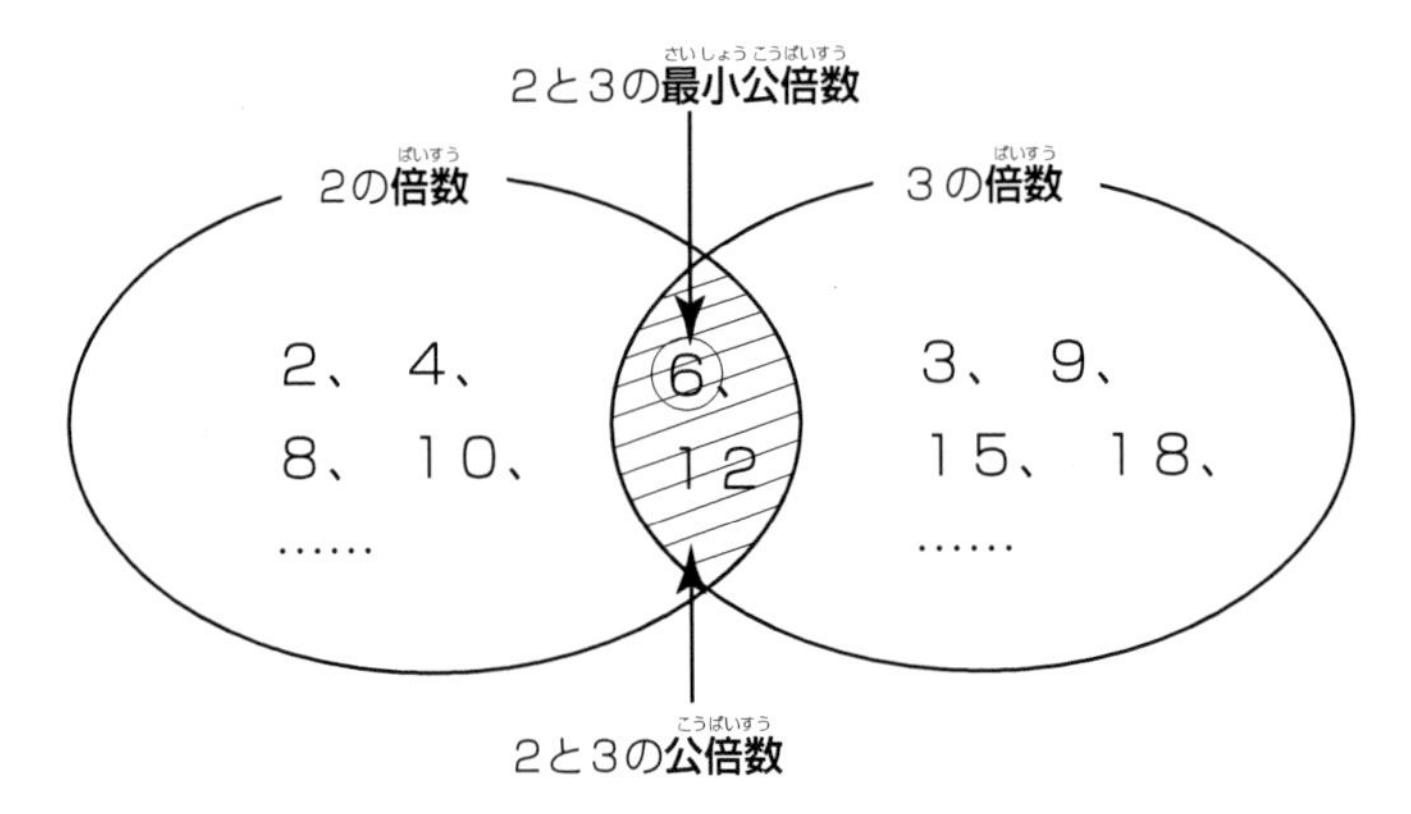


6と12は、2の**倍数**にも3の**倍数**にもなっています。

6と12のように2の**倍数**にも3の**倍数**にもなっている数を2と3の**公倍数**といいます。

**公倍数**のうち、いちばん小さい数を**最小公倍数**といいます。

2と3の**最小公倍数**は6です。

## ③ 約 数

ケーキが8個あります。

1人で食べると8個

2人で同じ数に分けると、1人4個

4人で同じ数に分けると、1人2個

8人で同じ数に分けると、1人1個

食べることができます。

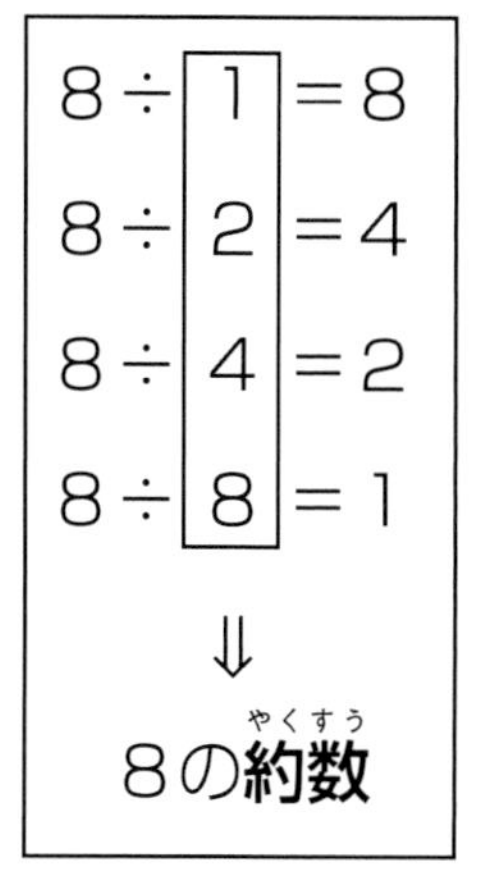

8÷1＝8

8÷2＝4

8÷4＝2

8÷8＝1

⇓

8の**約数**

このとき、余りがありません。

余りがないとき、割り切れるといいます。

8は1・2・4・8で、割り切れます。

1・2・4・8を8の**約数**といいます。

ケーキが8個あります。

3人・5人・6人で同じ数に分けたとき、余りが出ます。

8は、3・5・6で割り切れないので、3・5・6は8の**約数**ではありません。

8÷3＝2余り2

8÷5＝1余り3

8÷6＝1余り2

⇓

8の**約数**ではない

### ④ 公約数・最大公約数

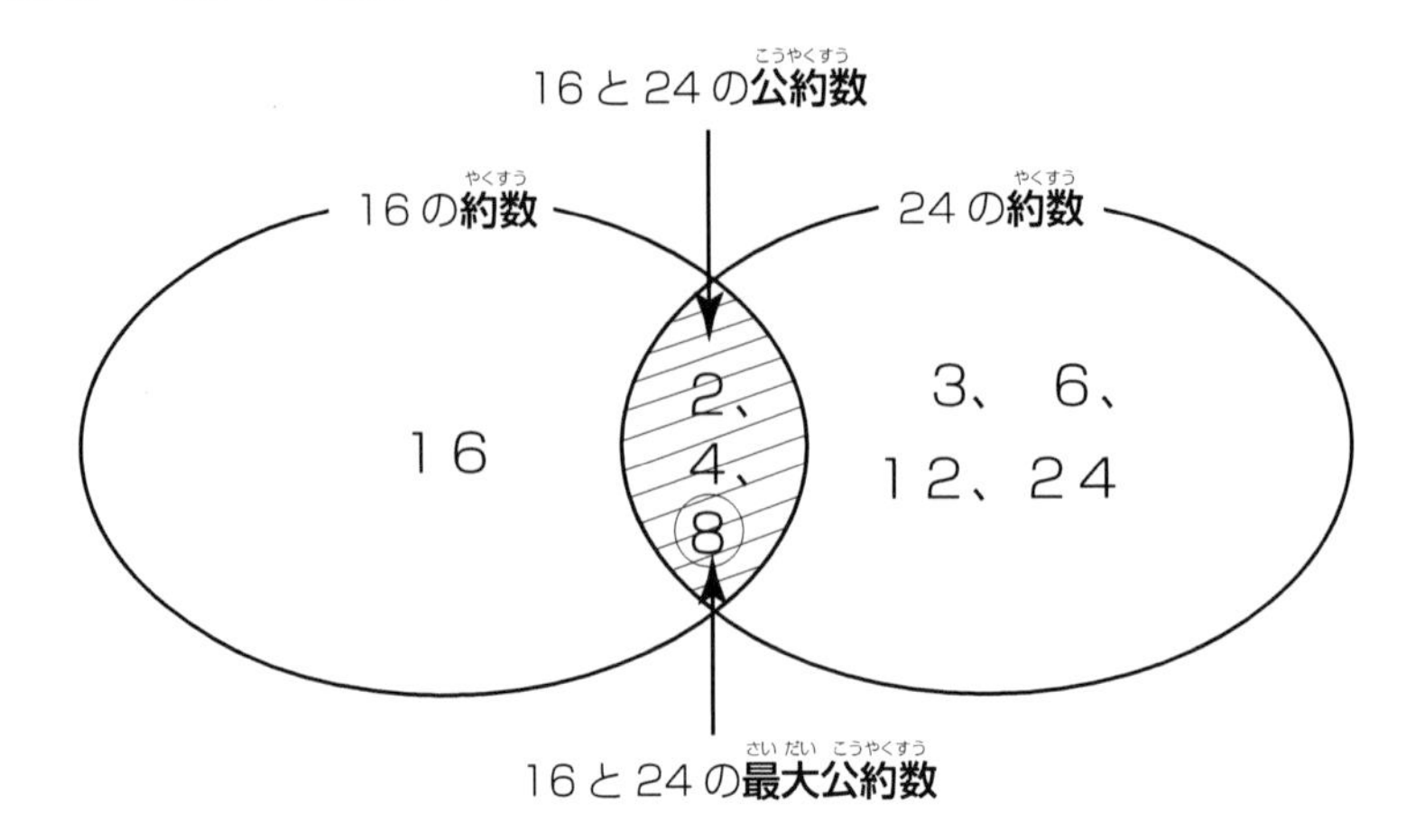


2・4・8は、16の約数にも24の約数にもなっています。これを公約数といいます。公約数の中で、いちばん大きな数を最大公約数といいます。16と24の最大公約数は8です。

## 5 分数

真分数　分母　分子　分数　仮分数
帯分数　約分　通分　等しい分数

### ① 種類

**真分数** … **分母**が**分子**より大きい**分数**

$\frac{1}{4}$ 1・・分子 4・・分母 （よんぶんのいち）

**仮分数** … **分母**が**分子**に等しいか、**分子**が**分母**より大きい**分数**

$\frac{3}{3}$　$\frac{5}{4}$

**帯分数**　…　整数と**真分数**を足した**分数**　　$4\frac{3}{5}$

## ②　約分・通分

**【等しい分数】**　　　　等しい＝同じ

数直線

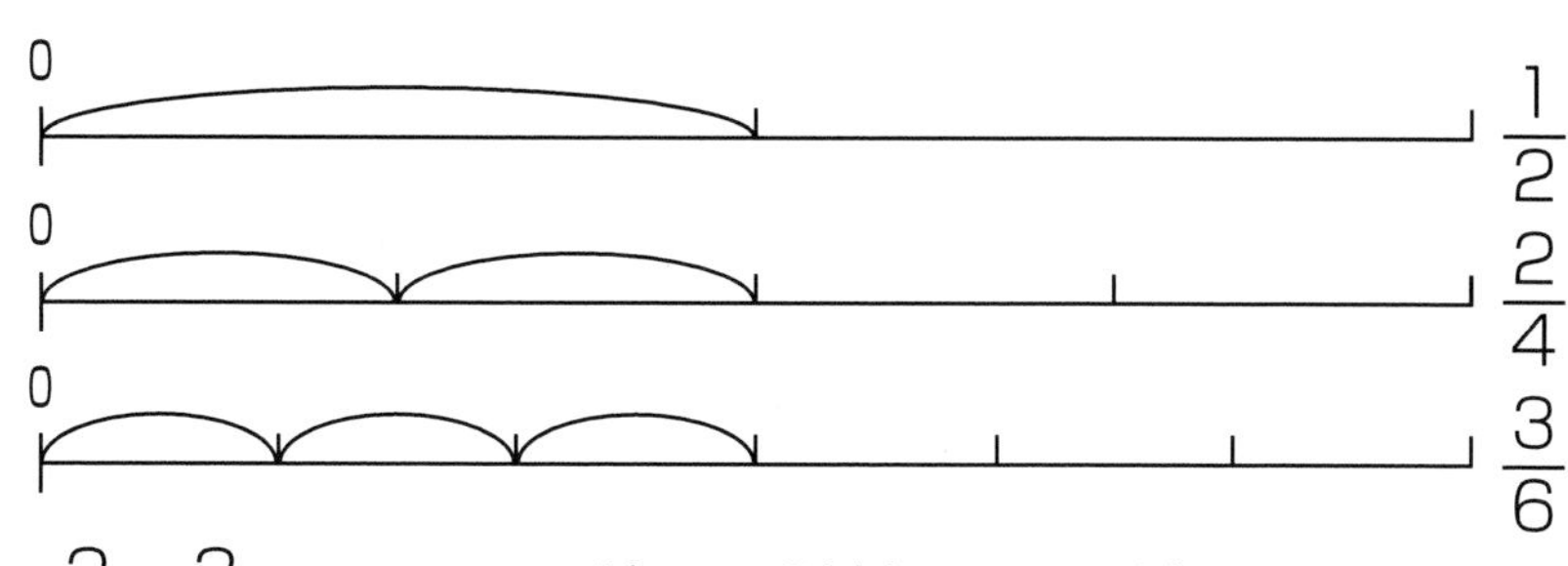


$\frac{1}{2}$、$\frac{2}{4}$、$\frac{3}{6}$ は、みんな**等しい分数**です。（同じ大きさです）

<table>
<tr><td>$\frac{1\times2}{2\times2}=\frac{2}{4}$<br>**分母**と**分子**に同じ数をかけます</td><td>$\frac{2\div2}{4\div2}=\frac{1}{2}$<br>**分母**と**分子**を同じ数で割ります</td></tr>
<tr><td colspan="2">どちらも**分数**の大きさは、等しい（同じ）です。</td></tr>
</table>

$\frac{2}{3}$ に等しい**分数**は、$\frac{4}{6}$、$\frac{9}{9}$ → $\frac{4}{6}$、$\frac{6}{9}$、$\frac{8}{12}$　・・・・・　です。

**【約分】**　**分母**と**分子**を同じ数で割って、簡単な**分数**にすること。

## ≪約分の仕方≫

$\frac{18}{24}$ を**約分**します。

| | |
|---|---|
| $\frac{18}{24} \overset{\div 2}{=} \frac{9}{12} \overset{\div 3}{=} \frac{3}{4}$ （分子・分母とも ÷2、÷3） | $\frac{18}{24} \overset{\div 6}{=} \frac{3}{4}$ （分子・分母とも ÷6） |

(P13に最大公約数の説明があります。)

2と3と6は、18と24の公約数です。

**約分**するときは、**分母**と**分子**を公約数で割ります。

6は、最大公約数です。

最大公約数で割ると、**分母**が一番小さくなります。

**約分**するときは、ふつう**分母**を一番小さくします。

$\frac{18}{24}$ を**約分**すると、$\frac{3}{4}$ になります。

☆ $\frac{24}{36}$ を**約分**すると、次のようになります。

$$\frac{24 \div 6}{36 \div 6} = \frac{4 \div 2}{6 \div 2} = \frac{2}{3}$$

## 【通分】

☆ $\frac{5}{6}$ と $\frac{3}{4}$ は、どちらが大きいですか。

**分母**がちがう分数の大きさをくらべる時は、**分母**を同じにします。

↓

**通分**

## ≪通分の仕方≫

(例)　$\frac{5}{6}$ と $\frac{3}{4}$ を **通分**します。

**通分**するときは、**分母**の最小公倍数を見つけます。

(P11に最小公倍数の説明があります。)

6と4の最小公倍数は12なので、12を**分母**にします。

$$\frac{5}{6} = \frac{10}{12} \quad (\times 2)$$

$$\frac{3}{4} = \frac{9}{12} \quad (\times 3)$$

| $\frac{5}{6}$、$\frac{3}{4}$ | **通分** ➡ | $\frac{10}{12}$、$\frac{9}{12}$ |
|---|---|---|
| ⇓ | | ⇓ |
| **分母**がちがう | | **分母**が同じ |

答え：$\frac{5}{6}$ と $\frac{3}{4}$ は $\frac{5}{6}$ の方が大きいです。

## ≪もうひとつの方法≫

**分母**と**分母**をかける

$$\frac{5 \times 4}{6 \times 4} = \frac{20}{24}、\frac{3 \times 6}{4 \times 6} = \frac{18}{24}$$

## ③ 計算

**分母が同じたし算** (**分母**はそのままにして**分子**だけたします。)

$$\frac{2}{8} + \frac{3}{8} = \frac{5}{8}$$ 答え $\frac{5}{8}$

**分母が同じひき算** (**分母**はそのままにして**分子**だけひきます。)

$$\frac{8}{5} - \frac{4}{5} = \frac{4}{5}$$ 答え $\frac{4}{5}$

**分母が違うたし算** (**通分**してから計算します。)

$$\frac{1}{5} + \frac{1}{7} = \frac{7}{35} + \frac{5}{35} = \frac{12}{35}$$ 答え $\frac{12}{35}$

**分母が違うひき算** (**通分**してから計算します。)

$$\frac{4}{5} - \frac{2}{3} = \frac{12}{15} - \frac{10}{15} = \frac{2}{15}$$

**分数に整数をかける計算** (**分母**はそのままにして**分子**にその整数をかけます。)

$$\frac{2}{5} \times 7 = \frac{2 \times 7}{5} = \frac{14}{5}$$

**分数に分数をかける計算**（**分母**どうし、**分子**どうしをかけます。）

$$\frac{3}{5} \times \frac{7}{8} = \frac{3 \times 7}{5 \times 8} = \frac{21}{40}$$

**分数で割る計算**（割る数の**分母**と**分子**を入れ替えた数をかけます。）

$$720 \div \frac{3}{5} = \frac{720 \times 5}{3} = 1200$$

## ④ 位

マラソンの距離は４２．１９５ｋｍ（よんじゅうにてんいちきゅうごキロ）

４　２　．　１　９　５ｋｍ

**（小数第一位は１、小数第二位は９、小数第三位は５）**

| 十の位 | 一の位 | 小数点 | $\frac{1}{10}$の位 | $\frac{1}{100}$の位 | $\frac{1}{1000}$の位 |
| --- | --- | --- | --- | --- | --- |

## 6 概数

**概数　切り捨て　切り上げ　四捨五入**
**見積り**

### ① 概数

**概数**はおよその数です。

(例) ５６.２３の**概数**は５６、１０１の**概数**は１００です。

**概数**にするには３つの方法があります。

ふつうは**四捨五入**で**概数**にします。

(例) ５７６２を**概数**にします。

1) **切り捨て**（上から３けた目を**切り捨て**ると５７００）

2) **切り上げ**（上から３けた目を**切り上げ**ると５８００）

3) **四捨五入**（１、２、３、４は捨てて、５、６、７、８、９は一つ上の位に１くり上がることです。上から３けた目を**四捨五入**すると５８００）

・次の数の十の位を**四捨五入**すると、

３２５→３００　　４１７→４００

５９１→６００　　１２７９→１３００

② **見積り**

☆バスで遠足に行きます。クラスは 32 人です。バス代は一人 580 円です。クラスの人数とバス代を**概数**にして**見積り**ます。

600 × 30 = 18000　　　答え　約 18000 円

# Ⅲ　図(ず)形(けい)

## 1　点(てん)と線(せん)と角度(かくど)

| | | | | | |
|---|---|---|---|---|---|
| 点(てん) | 線(せん) | 交(まじ)わる | 辺(へん) | 頂点(ちょうてん) | 対角線(たいかくせん) |
| 角(かく) | 角度(かくど) | 分度器(ぶんどき) | 直角(ちょっかく) | 垂直(すいちょく) | 平行(へいこう) |

① 点(てん)と線(せん)

・　点(てん)

点(てん)　　点(てん)

点(てん)と点(てん)をつなぐと線(せん)になります。

② 辺(へん)と頂点(ちょうてん)

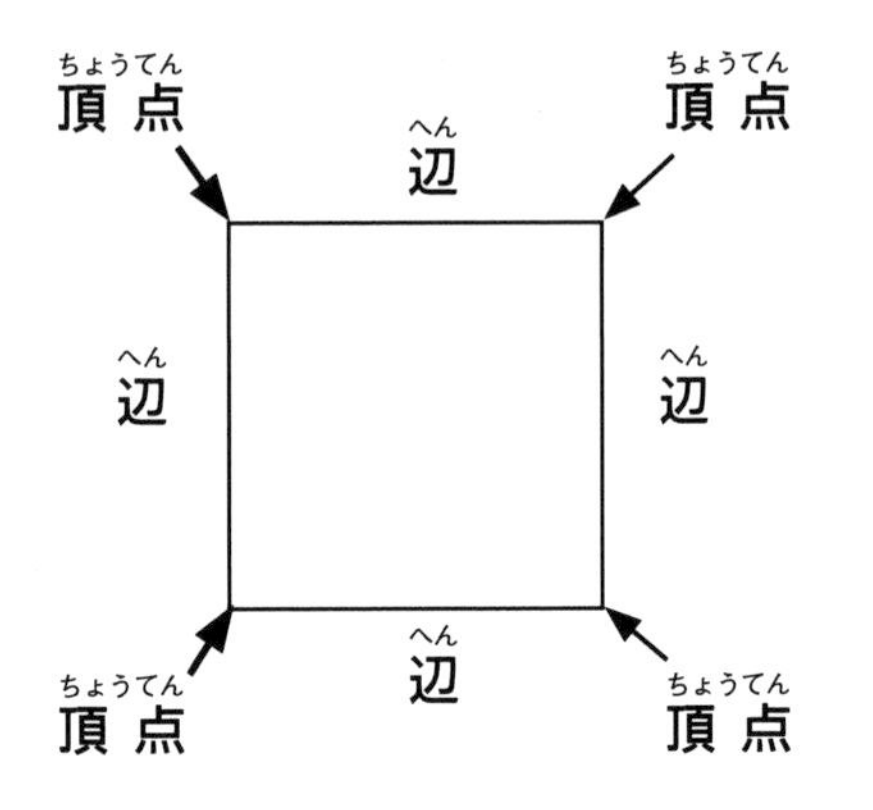


③ 対角線(たいかくせん)

隣(とな)り合(あ)わない頂点(ちょうてん)と頂点(ちょうてん)を結(むす)んだ線(せん)

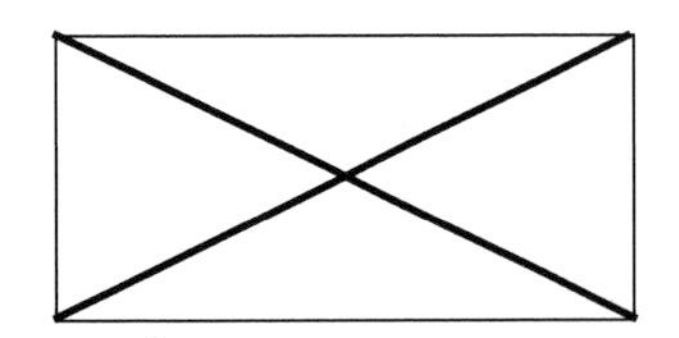

対角線(たいかくせん)

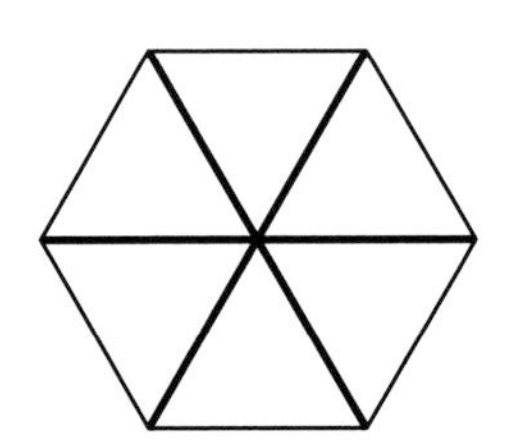

## ④ 角(かく)と角度(かくど)

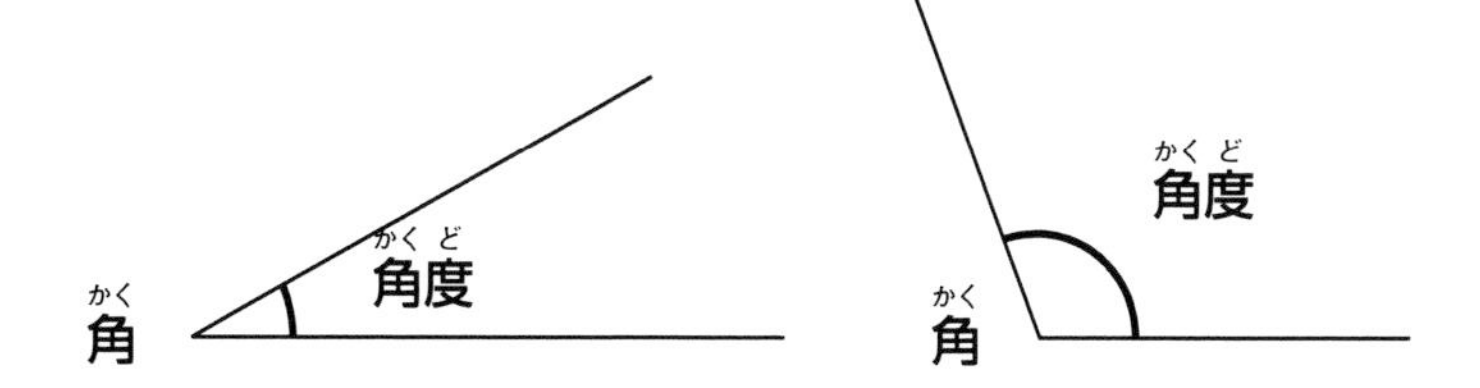


**角度**(かくど)を測(はか)るとき、**分度器**(ぶんどき)を使(つか)います。

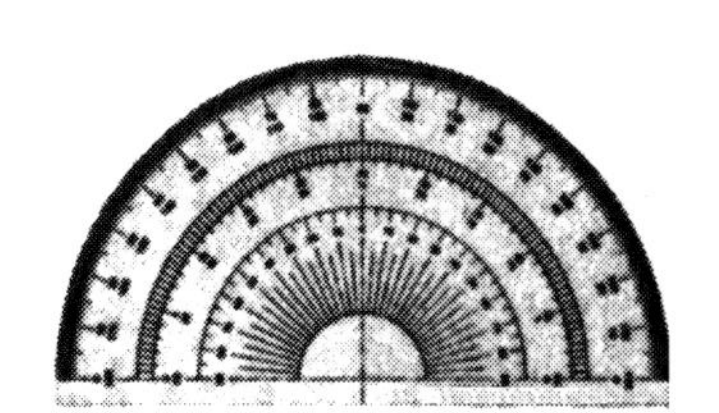

**直角**(ちょっかく)は 90°　(度(ど))

## ⑤ 垂直(すいちょく)と平行(へいこう)

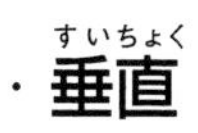

・**垂直**(すいちょく)

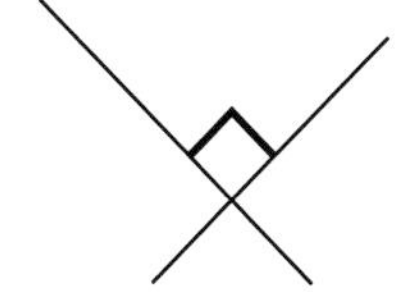

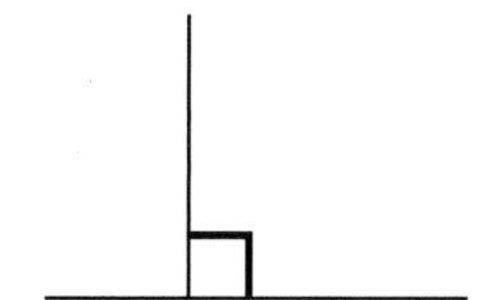

**直角**(ちょっかく)の 2 本(ほん)の直線(ちょくせん)は**垂直**(すいちょく)です。

・**平行**(へいこう)

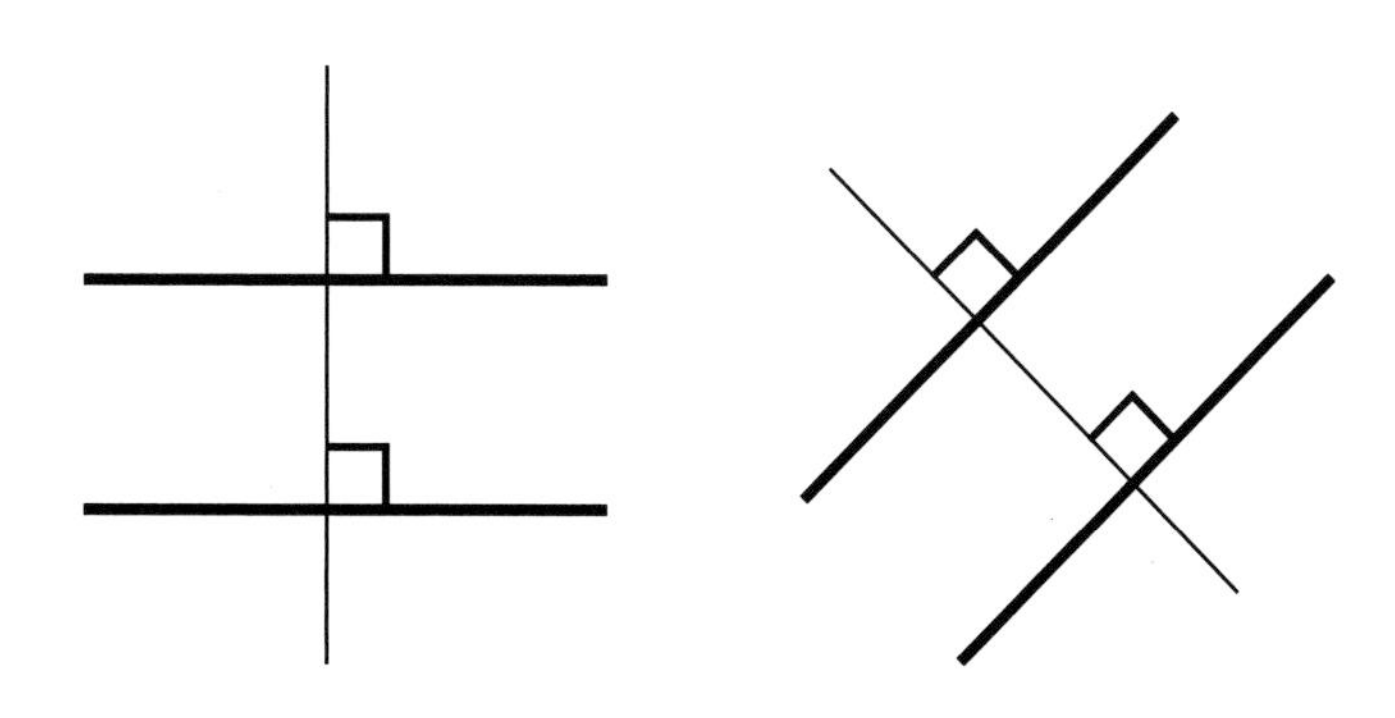

一本(いっぽん)の直線(ちょくせん)に**垂直**(すいちょく)な 2 本(ほん)の直線(ちょくせん)は**平行**(へいこう)です。

## 2　多角形

**多角形　三角形　四角形　正三角形**
**直角三角形　二等辺三角形　正方形　長方形**
**平行四辺形　台形　ひし形　面積　広さ**
**底辺　上底　下底　内角の和**

### ① 種　類

３つより多い辺で、できた形を**多角形**といいます。

**多角形**には、**三角形**、**四角形**、五角形、六角形などがあります。

**三角形**

**四角形**

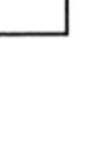

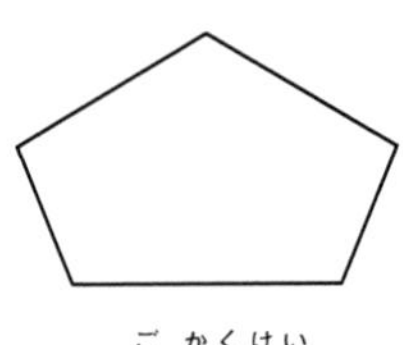

五角形

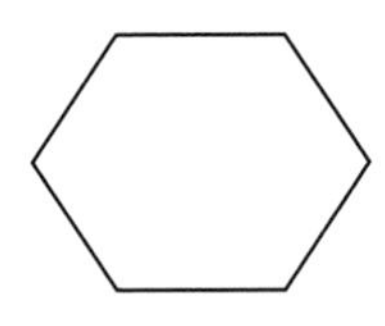

六角形

**三角形**

・**正三角形**は３つの辺の長さが等しい（同じ）です。

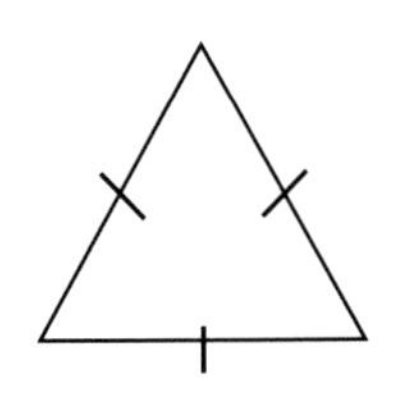

・**直角三角形**は１つの角が直角です。

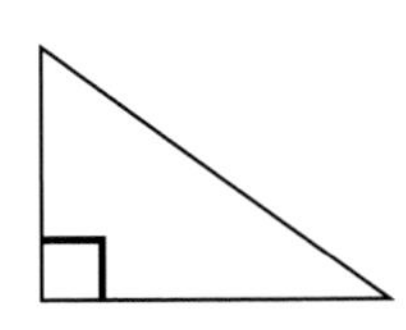

・**二等辺三角形**は２つの辺の長さが同じです。

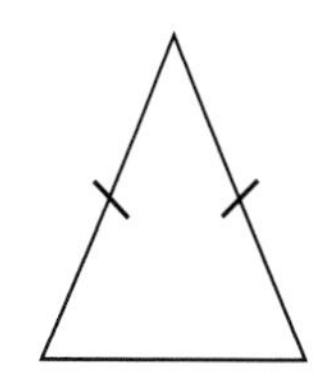

## 四角形

・**正方形**は、４つの辺の長さが同じで、
各角度が９０度です。

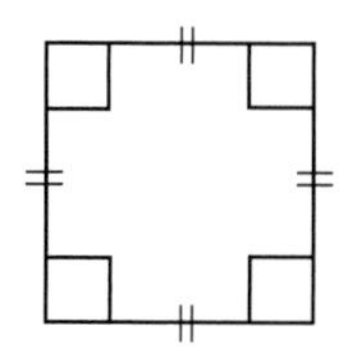

・**長方形**は、向い合った辺の長さが等しく、
各角度は 90 度です。

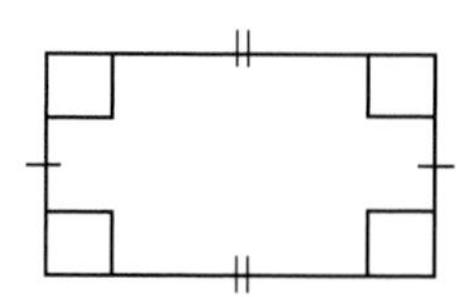

・**平行四辺形**は、向かい合った２組の辺が平行です。
向かい合う２組の辺の長さが等しく、
向かい合う２組の角の角度が等しいです。

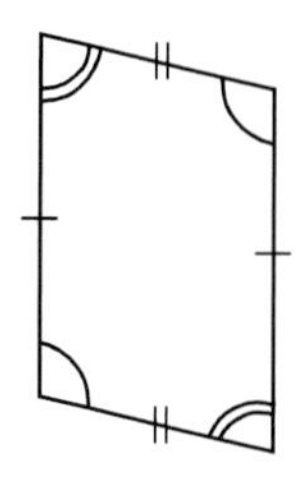

・**台形**は、向かい合った一組の辺が平行です。

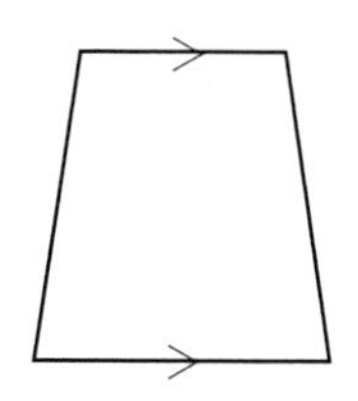

・**ひし形**は、向かい合った辺は平行で、４本の辺の長さが等しいです。向かい合う２組の角の角度が等しく、２本の対角線が直角で交わります。

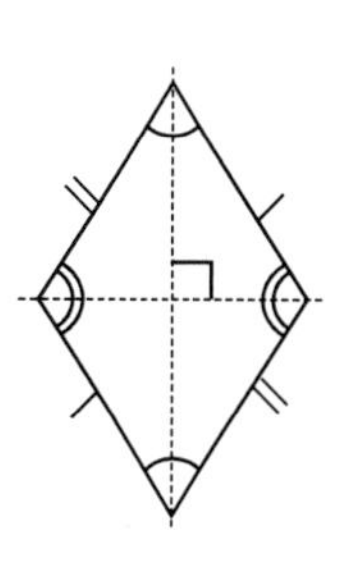

## ② 面積

**面積**は、**広さ**のことです。

・**正方形**の**面積**の求め方：　1辺×1辺＝**正方形**の**面積**

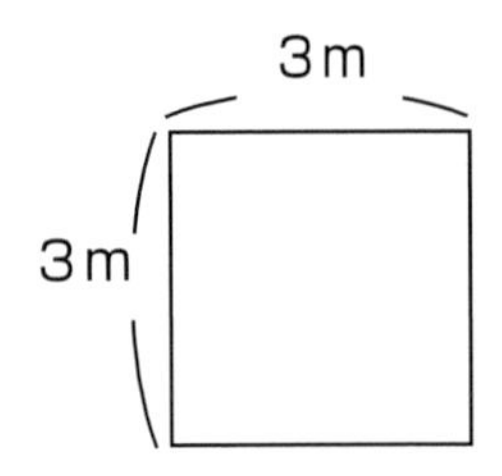


$3 \times 3 = 9$

9m² （9平方メートル）

・**長方形**の**面積**の求め方：　縦×横＝**長方形**の**面積**

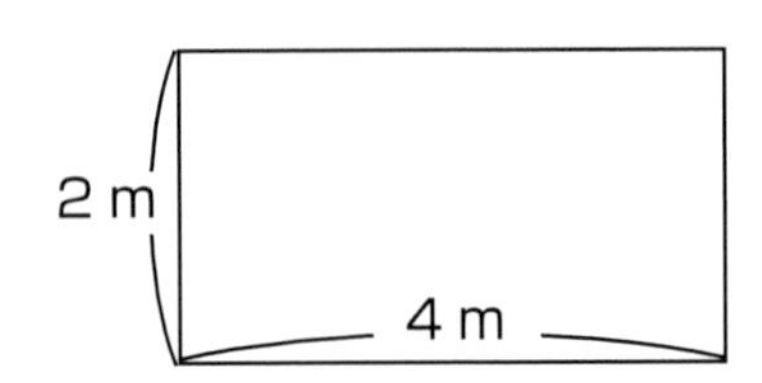


$2 \times 4 = 8$

8m²

・**三角形**の**面積**の求め方：**底辺**×高さ÷2＝**三角形**の**面積**

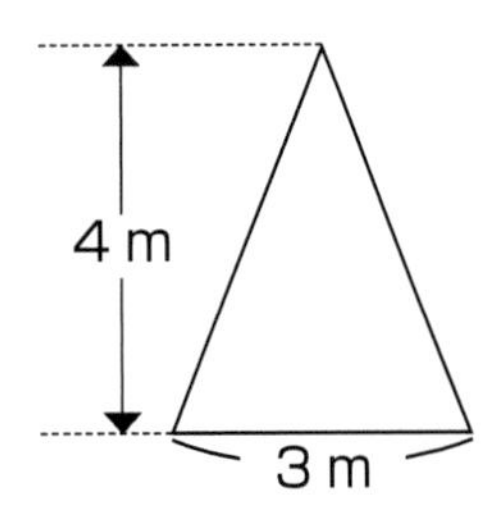


$3 \times 4 \div 2 = 6$

6m²

・**平行四辺形**の**面積**の求め方：**底辺**×高さ＝**平行四辺形**の**面積**

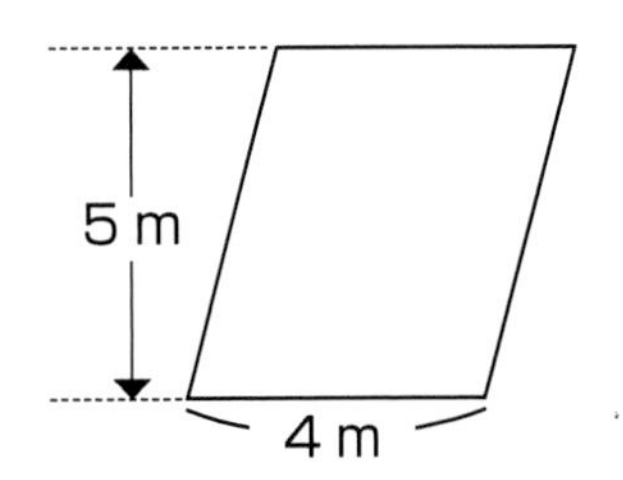


$4 \times 5 = 20$

20m²

・**台形**の**面積**の求め方：（**上底**＋**下底**）×高さ÷２＝台形の**面積**

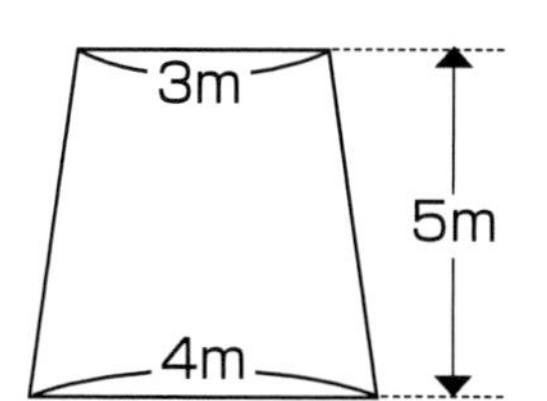


（３＋４）×５÷２＝１７．５

17.5 m²

・**ひし形**の**面積**の求め方：対角線×対角線÷２＝**ひし形**の**面積**

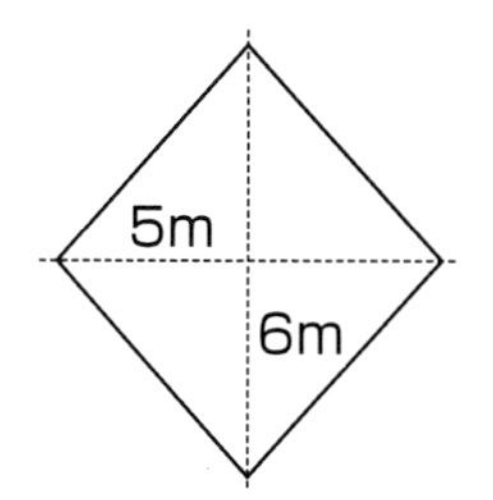


５×６÷２＝１５

１５m²

## ③ 内角の和

**三角形**の**内角の和**は１８０°（度）

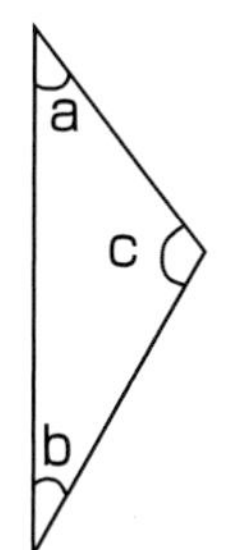


a＋ b＋c ＝ １８０

180°（度）

**四角形**の**内角の和**は３６０°（度）

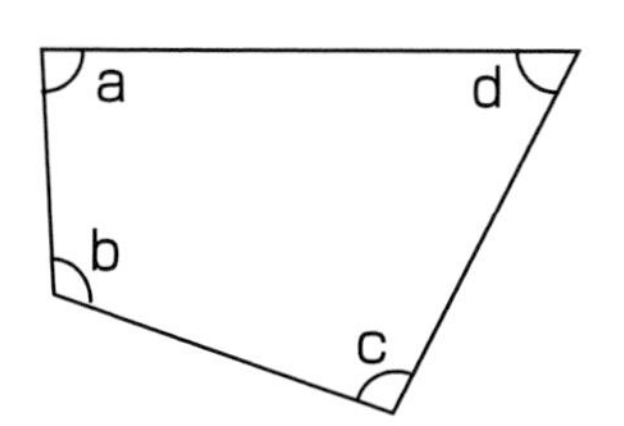


a＋b＋c＋d＝３６０

360°（度）

# 3 立体(りったい)

**立体(りったい)　見取り図(みとりず)　直方体(ちょくほうたい)　立方体(りっぽうたい)　角柱(かくちゅう)**
**円柱(えんちゅう)　角錐(かくすい)　円錐(えんすい)　面(めん)　平面(へいめん)　展開図(てんかいず)　底面(ていめん)**
**側面(そくめん)　曲面(きょくめん)　体積(たいせき)　底面積(ていめんせき)　容積(ようせき)　内側(うちがわ)　深さ(ふかさ)**

## ①　いろいろな**立体(りったい)**（**見取り図(みとりず)**）

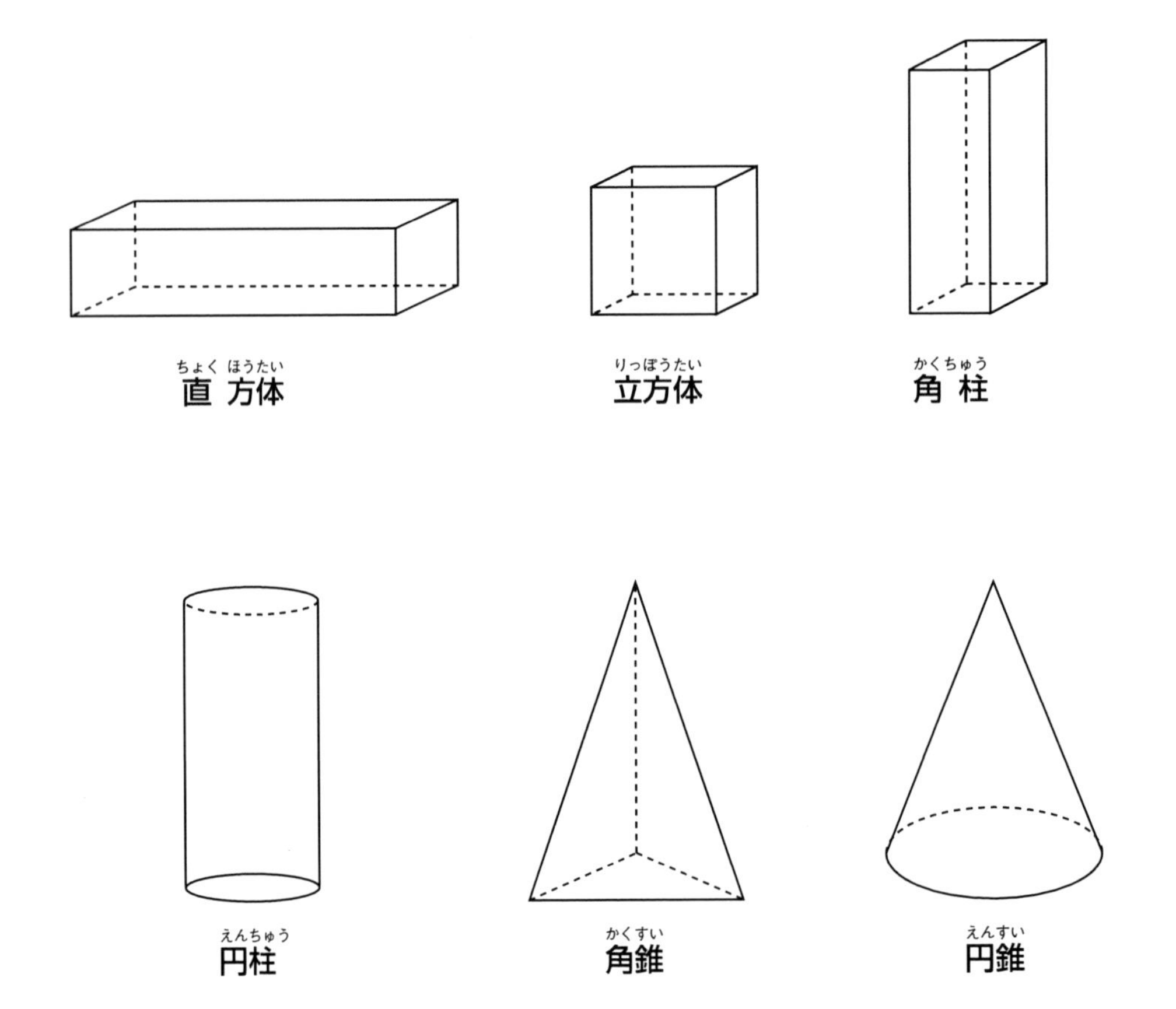

## ② 直方体と立方体

**直方体**は長方形だけで囲まれた形や長方形と正方形で囲まれた形です。

**面**が6つあります。（例）キャラメルのはこ

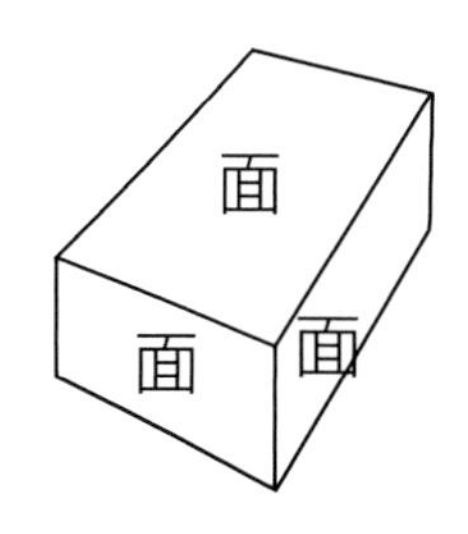


| | 面の数 | 辺の数 | 頂点の数 |
|---|---|---|---|
| 直方体 | 6 | 12 | 8 |
| 立方体 | 6 | 12 | 8 |

**立方体**は正方形だけで囲まれた形で、**面**が6個あります。

（例）さいころ

### 1）**直方体**や**立方体**の辺や**面**

・**直方体**や**立方体**の**面**のように平らな**面**を**平面**といいます。

・向かい合っている**面**は平行で、隣り合っている面は垂直です。

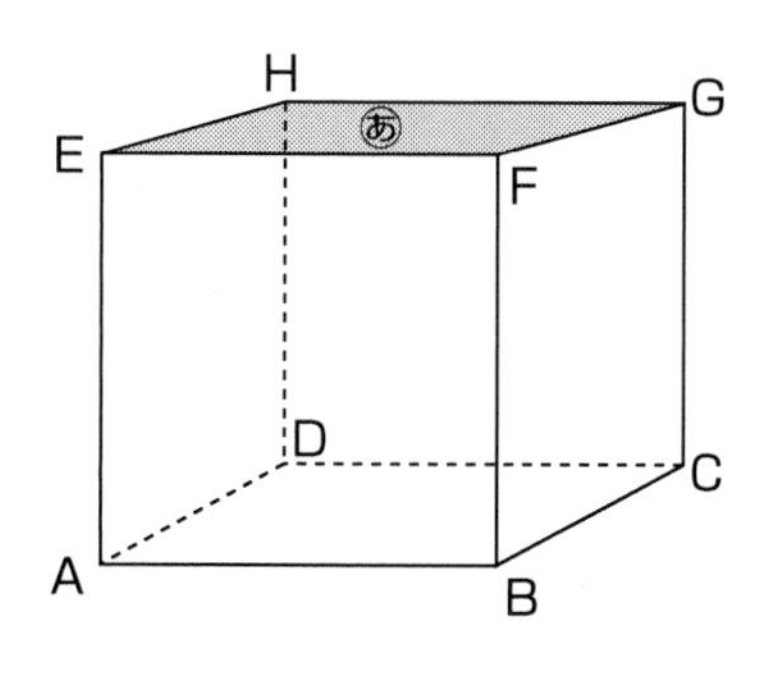


**面**「あ」（EFGH）に平行な**面**は ABCD

**面**「あ」（EFGH）に垂直な**面**は

・EADH と EABF と

・FBCG と HDCG です。

一辺に平行な辺は３つ、垂直な辺は４つあります。

・**展開図**は**立体**を辺に沿って切り開いた図のことです。

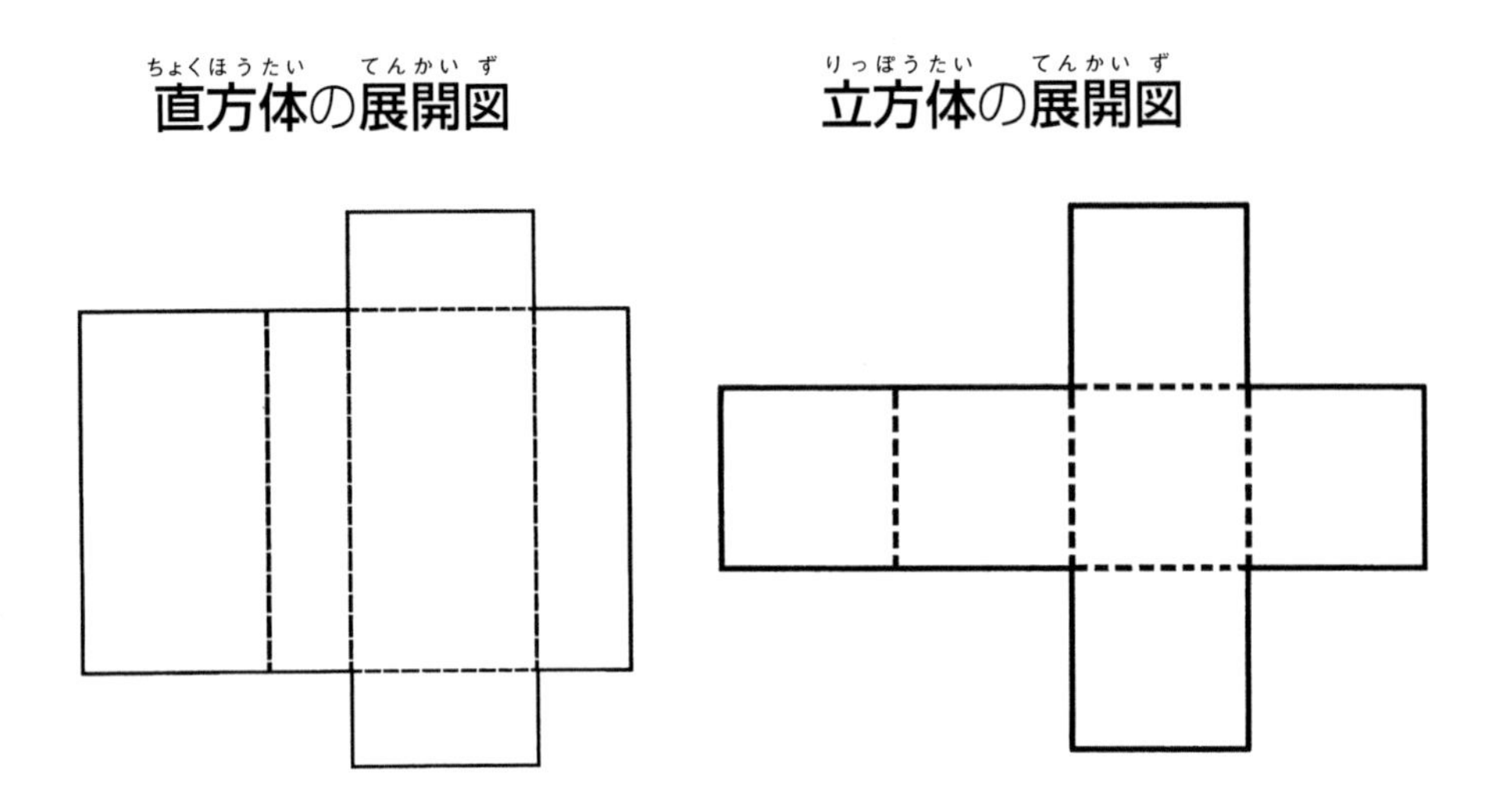


③ **角柱**と**円柱**

**角柱**は２つの**底面**が同じ形・大きさの多角形で、平行になっています。**側面**は長方形です。**底面**が三角形、四角形、五角形の**角柱**を三角柱、四角柱、五角柱といいます。

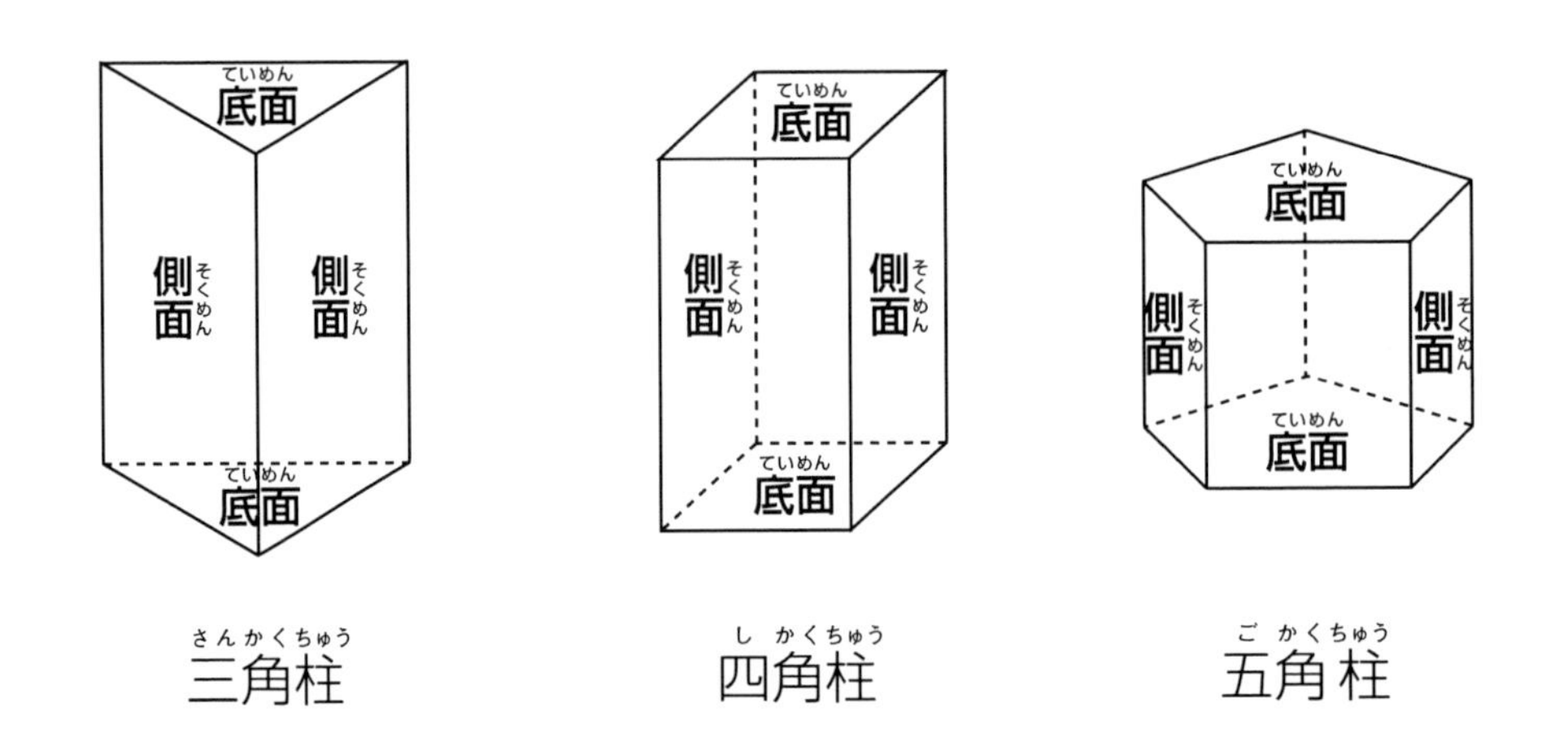

## 角柱の面、頂点、辺の数

| | 側面 | 底面 | 頂点 | 辺 |
|---|---|---|---|---|
| 三角柱 | 3 | 2 | 6 | 9 |
| 四角柱 | 4 | 2 | 8 | 12 |
| 五角柱 | 5 | 2 | 10 | 15 |

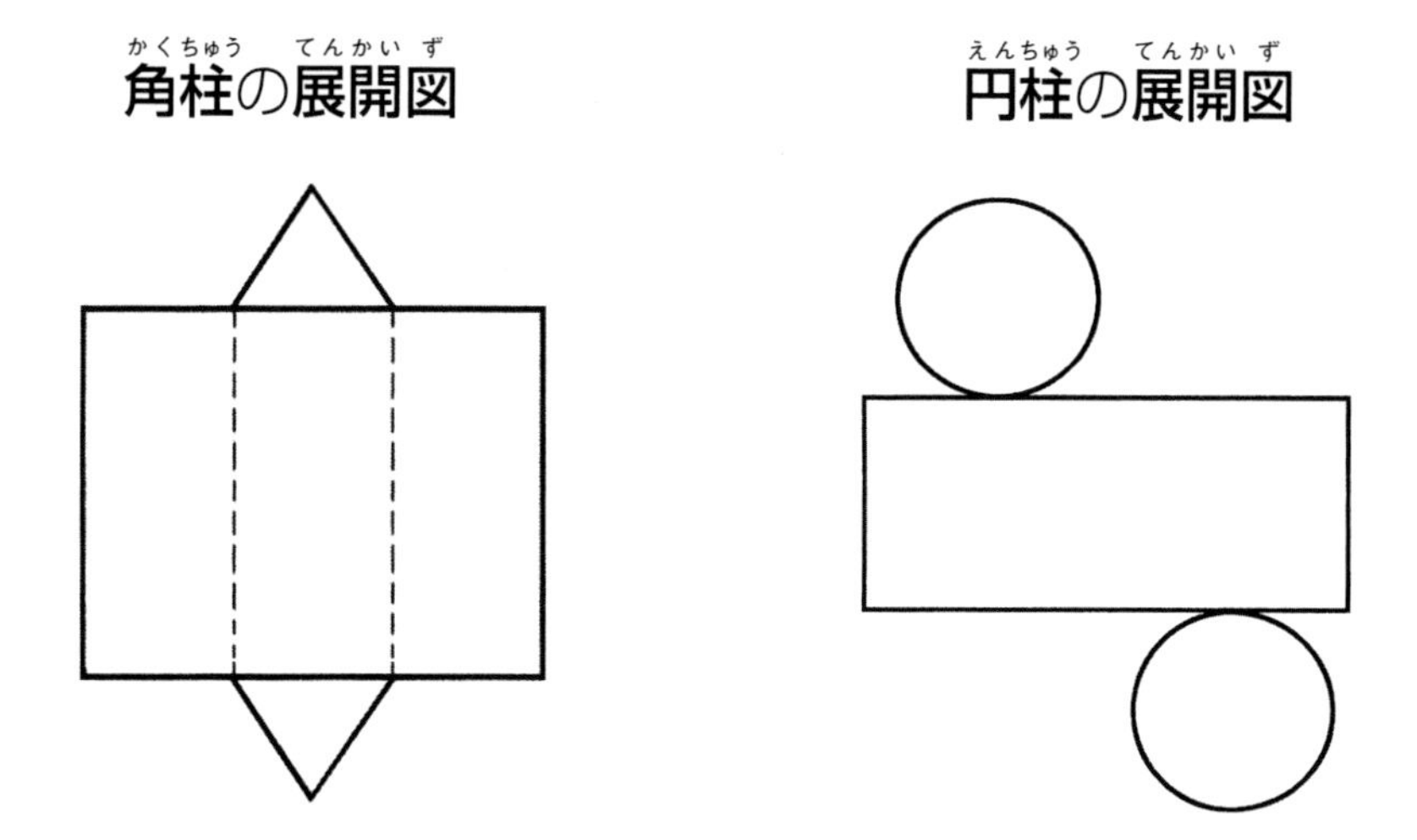


**円柱**は２つの**底面**が同じ大きさの円で、平行になっています。

**側面**は長方形で、**曲面**（曲がっている**平面**）になっています。

## ④ 立体の体積

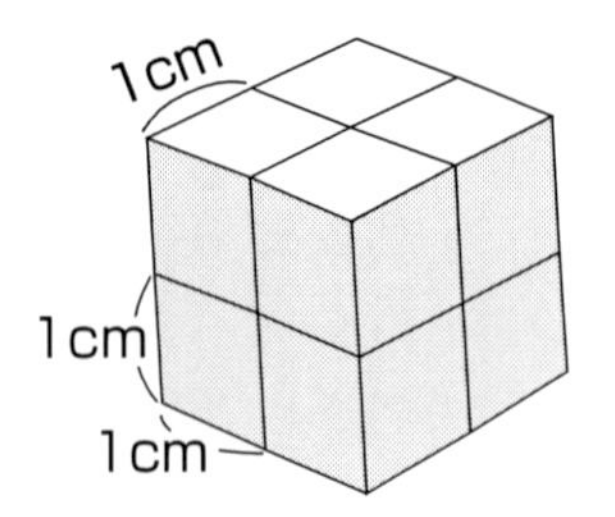


**体積**はかさ（一かたまりのものの分量）のことです。一辺が1cmの**立方体**が何個分あるかで表します。

**直方体の体積** ＝ 縦 × 横 × 高さ

縦・横・高さの3つの辺の長さをかけ合わせます。

式　30 × 100 × 20 ＝ 60000

答え　60000$cm^3$

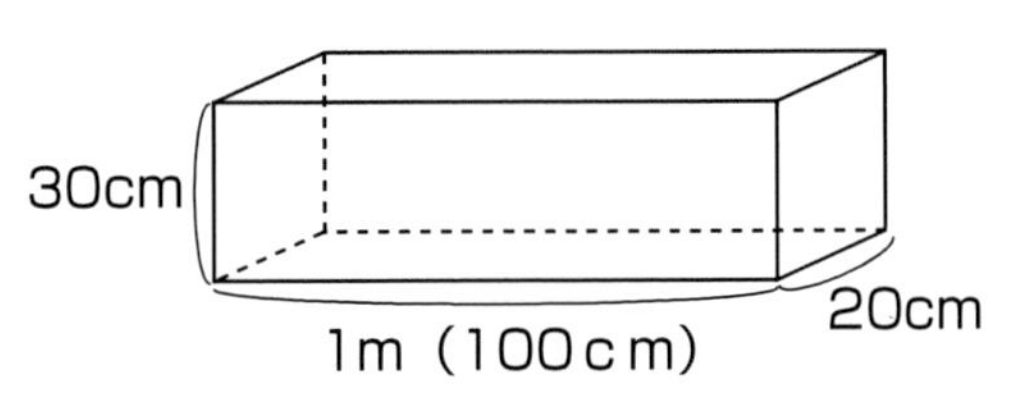


計算するときには辺の長さの単位をそろえます。

**立方体の体積** ＝ 一辺 × 一辺 × 一辺

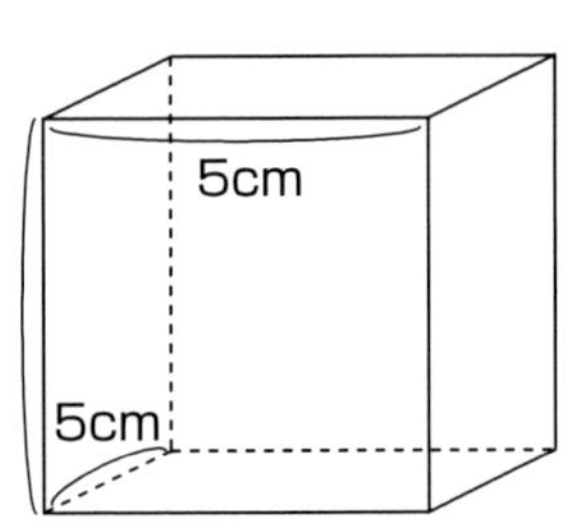

一辺の長さをかけ合わせます。

式　5 × 5 × 5 ＝ 125

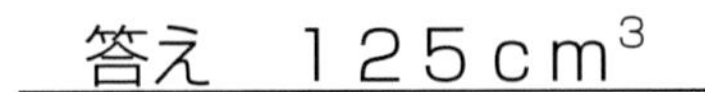
答え　125$cm^3$

**角柱の体積** ＝ **底面積**（底辺の面積）× 高さ

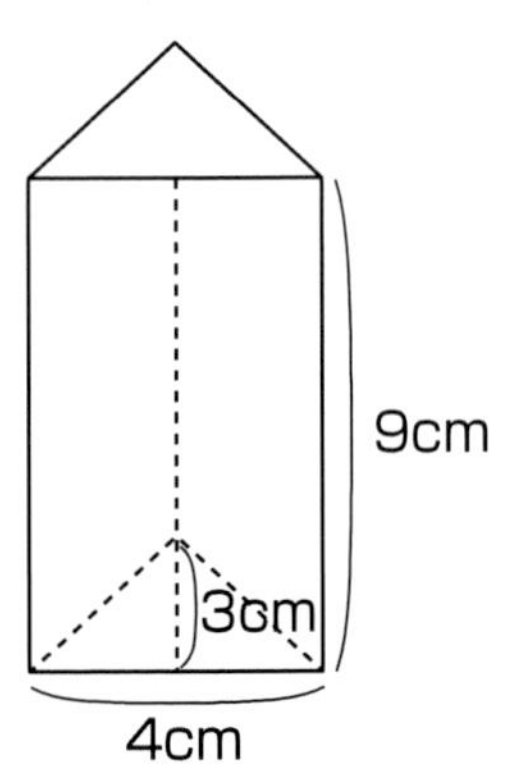


（例）三角柱の**体積**

式　4 × 3 ÷ 2 × 9 ＝ 54

答え　54$cm^3$

| **円柱**の**体**積 ＝ 円の**底面積** × 高さ |
|---|

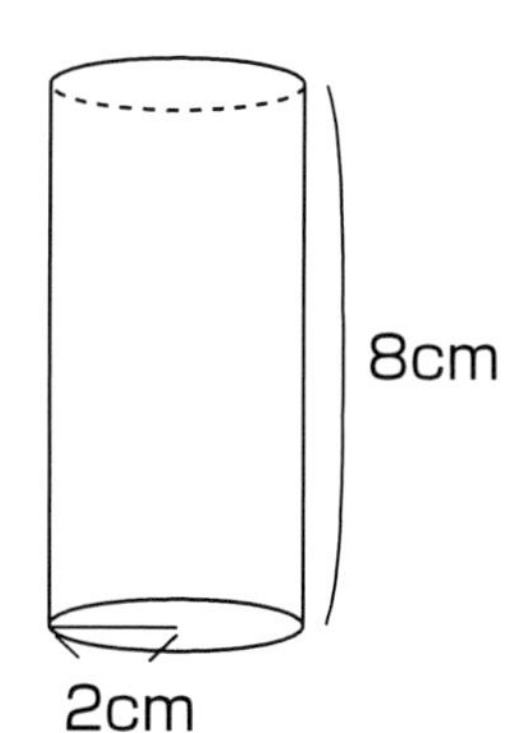


（例）半径２ｃｍ　　高さ８ｃｍの**体積**

式　２ × ２ × ３．１４ × ８ ＝１００．４８

答え　１００．４８ｃ$m^3$

（Ｐ３４の③を見てください。）

⑤　**容積**とかさ

**容積**はうつわに入る水などの**体積**（かさ）のことをいいます。

| **容積** ＝ うつわの**内側**の縦 × 横 × 高さ |
|---|

**内側**の縦　２０ｃｍ　横　３８ｃｍ　**深さ**　３０ｃｍ

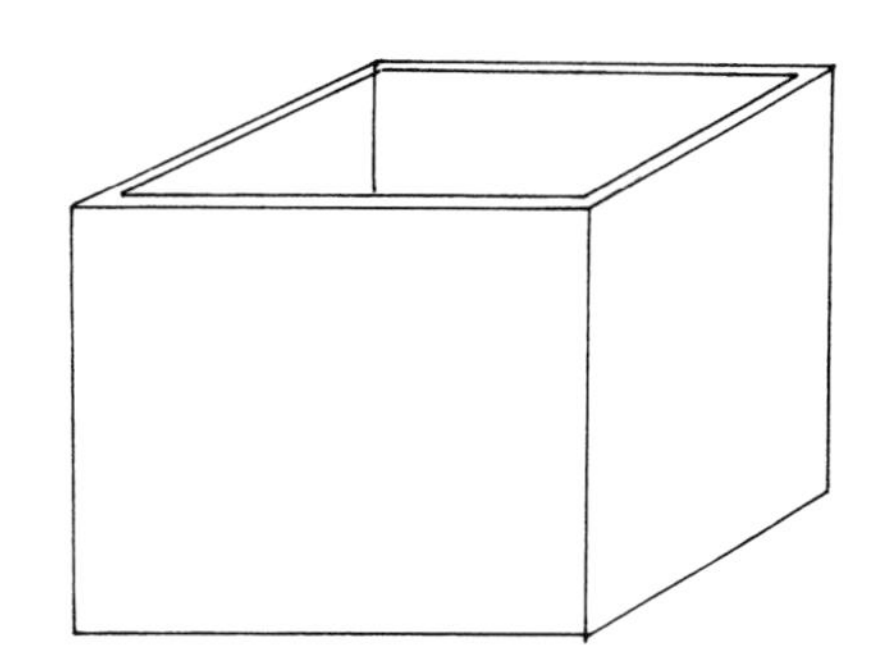

入れ物の**内側**の**容積**

式　２０ × ３８ × ３０ ＝ ２２８０

答え　２２８０ｃ$m^3$

１ｃ$m^3$＝１ｍℓですから、２２８０ｃ$m^3$＝２２８０ｍℓです。

# 4　円

| | | | |
|---|---|---|---|
| 円 | 球 | 直径 | 半径 |
| 中心 | 円周 | 円周率 | 面積 |

## ①　円と球

【円】

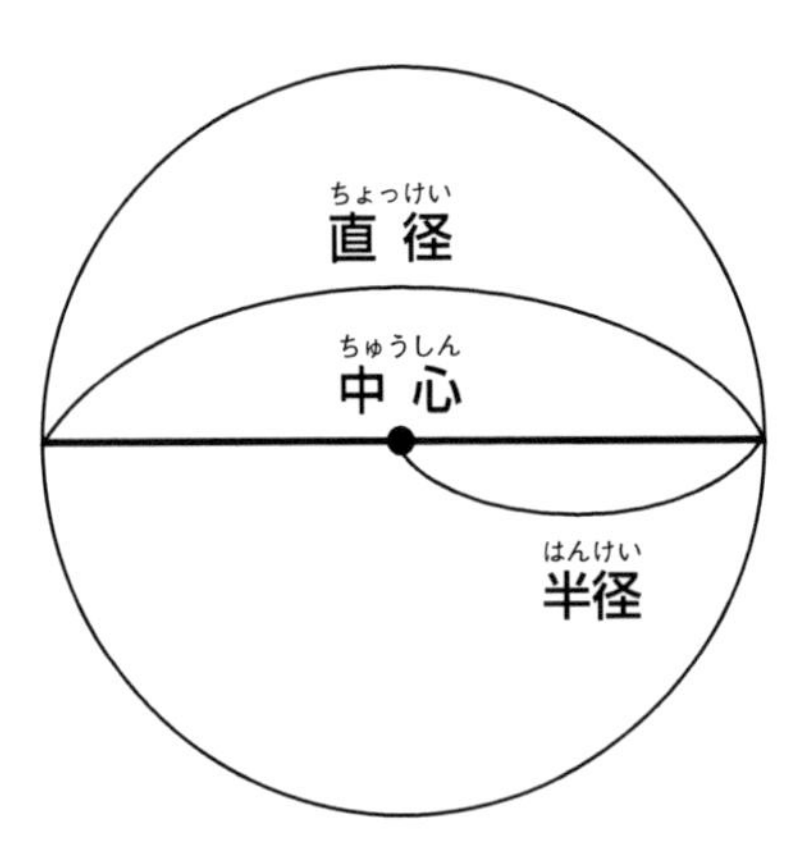


直径　＝　半径　×　2

半径　＝　直径　÷　2

円をかくときは、コンパスを使うと便利です。

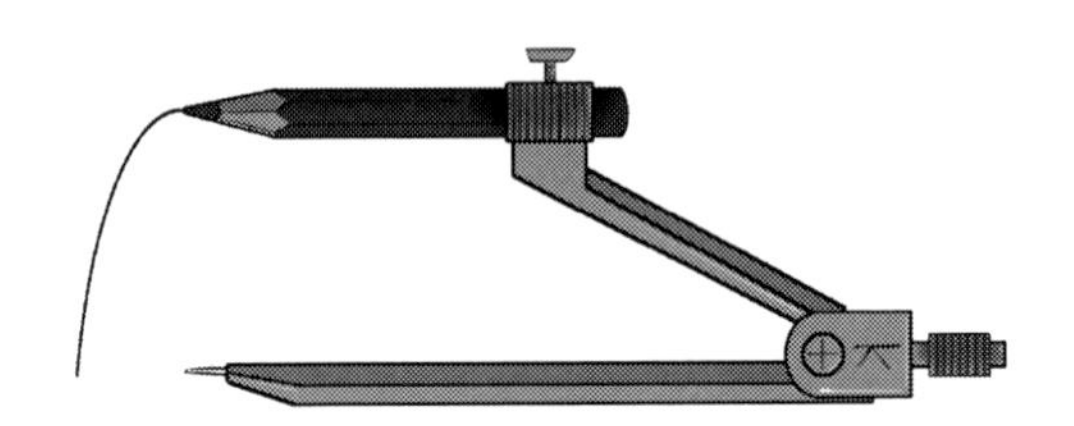

【球】

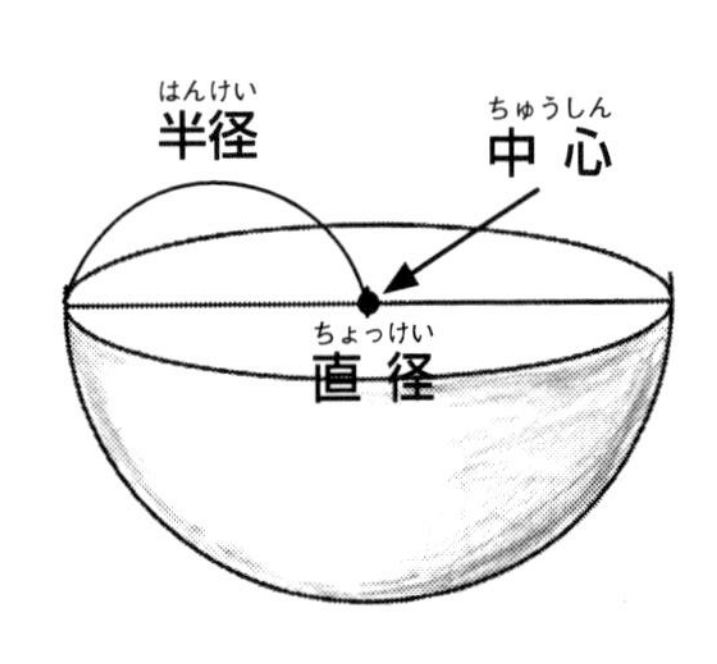

## ② 円周と円周率

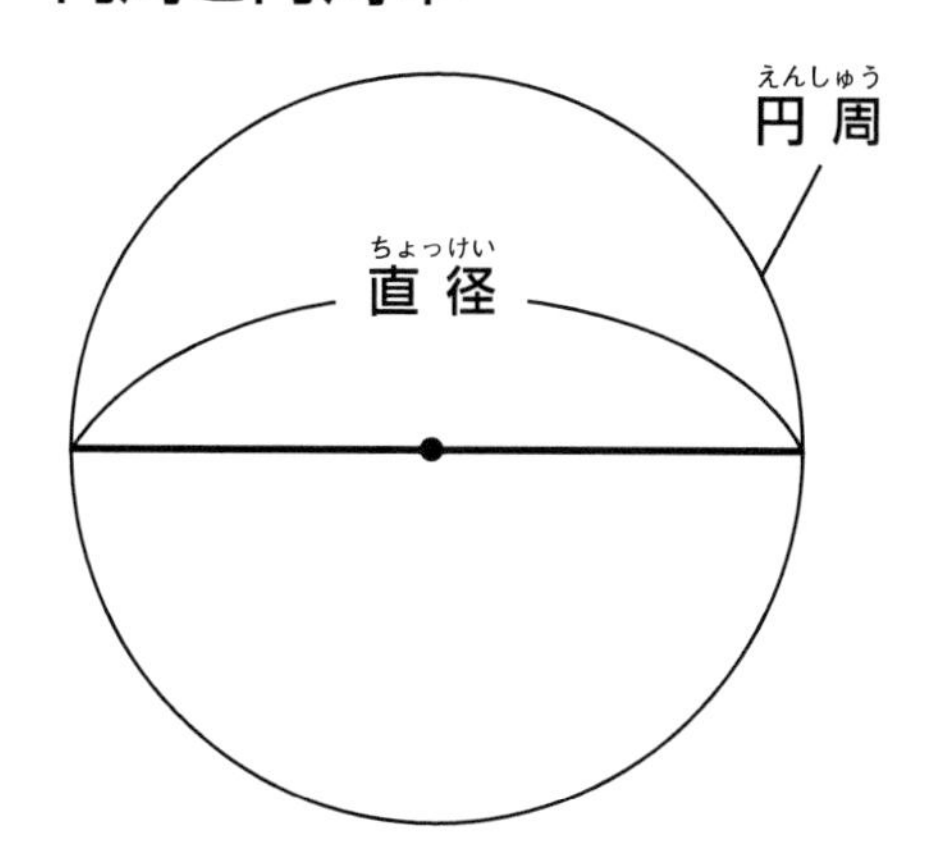


| 直径（m） | 円周（m） |
|---|---|
| 1 | 約3.14 |
| 2 | 約6.28 |
| 3 | 約9.42 |
| : | : |
| : | : |

円の周りを円周といいます。

円周　÷　直径　＝　約3.14　　これを円周率といいます。

## ③ 円の面積

面積は広さのことです。

| 円の面積　＝　半径　×　半径　×　3.14 |
|---|

半径5ｃｍの円の面積

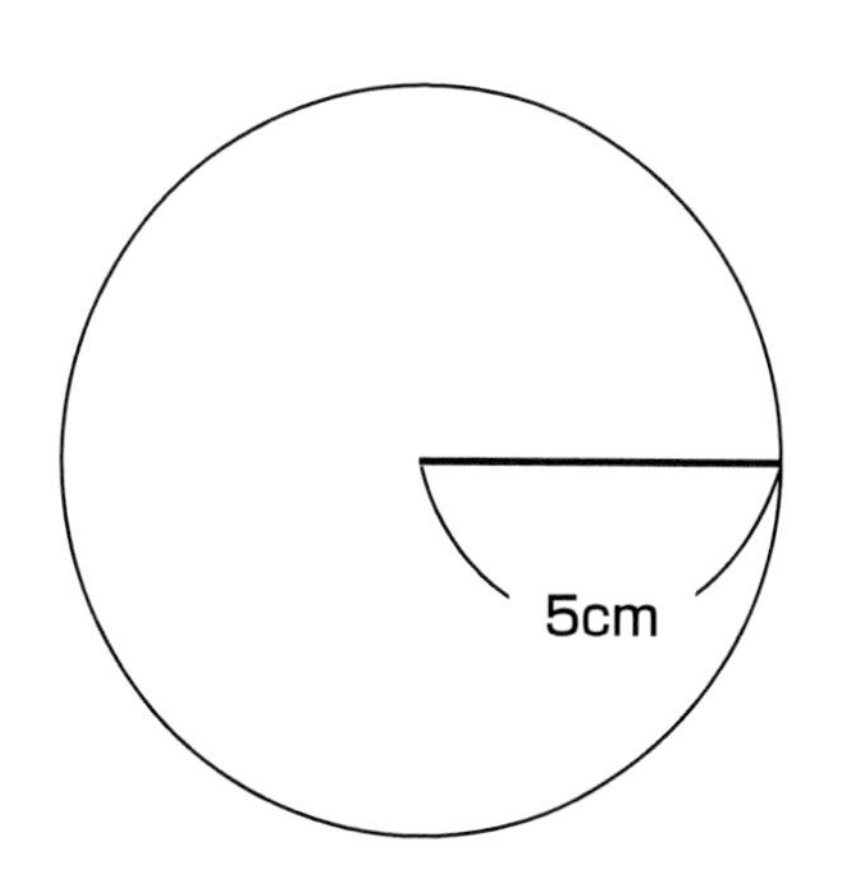


式　5 × 5 × 3.14 ＝ 78.5

答え　78.5cm²

# Ⅳ　速さと平均

速さ　秒速　時速　分速　道のり
時間　平均　合計　個数　得点

## 1　速さ

くみこさんは１秒間に４．５ｍ（メートル）進みました。

これを**秒速**４．５ｍといいます。**秒速**は１秒間にどれくらい進むかという**速さ**を表します。

**速さ**は**時速**、**分速**、**秒速**で表します。
**秒速**は、１秒間に進む**速さ**のことです。
**分速**は１分間に進む**速さ**のことです。
**時速**は１**時間**に進む**速さ**のことをいいます。

１**時間**は６０分、１分は６０秒ですから以下のようになります。

**時速**＝**分速**×６０
**分速**＝**時速**÷６０
**秒速**＝**分速**÷６０

## ① 速 さ

あきこさんは８０mの**道のり**（距離）を走りました。**時間**は２０秒かかりました。

**速さ**は**秒速**何メートルですか。

**道のり**　÷　**時間**　＝　**速さ**

（８０m）　（２０秒）（**秒速**４m）

式　８０÷２０＝４　答え　**秒速**４m

あきこさんの**速さ**は**秒速**４mです。

| **速さ**　＝　**道のり**（距離）　÷　**時間** |
|---|

## ② 道のり

くみこさんは**秒速**４．５mの**速さ**で２０秒走りました。

何mの**道のり**（距離）を走ったでしょう。

**速さ**　×　**時間**　＝　**道のり**（距離）

（**秒速**４．５m）　（２０秒）　（90m）

式　４．５×２０＝９０　答え　９０m

| **道のり**（距離）　＝　**速さ**　×　**時間** |
|---|

## ③ 時間

くみこさんは**秒速**4.5mの**速さ**で90mの**道のり**を走りました。
**時間**は何秒かかったでしょう。

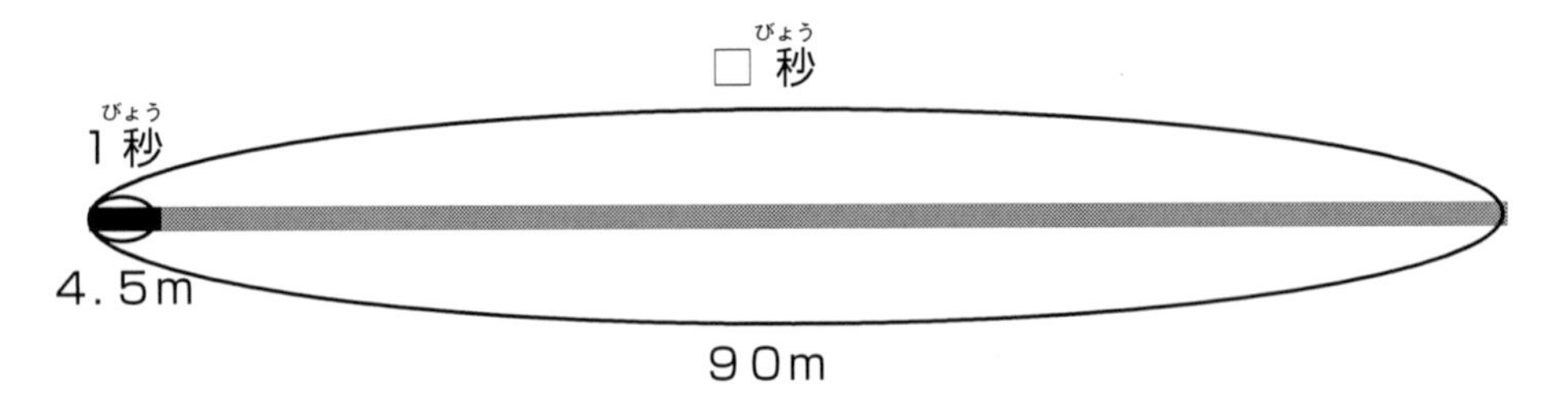


**道のり**（距離）÷ **秒速** = **時間**
（90m）（4.5m）（20秒）

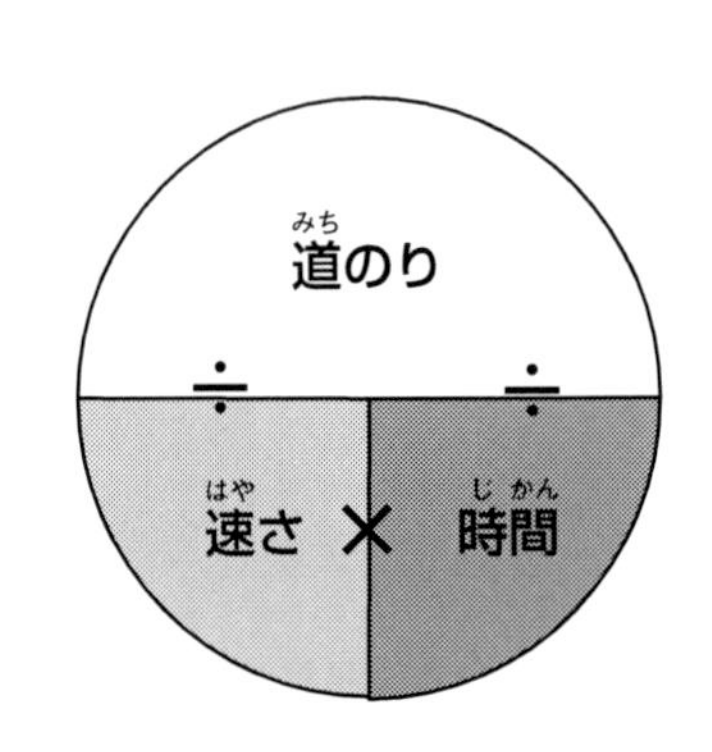


式　90÷4.5=20

答え　20秒

| **時間** = **道のり** ÷ **速さ** |
|---|

| **速さ=道のり÷時間**　**道のり=速さ×時間**　**時間=距離÷速さ** |
|---|

| 名前 | **速さ**（m／秒） | **道のり**（m） | **時間**（秒） |
|---|---|---|---|
| くみこ | 4.5 | 90 | 20 |
| あきこ | 4.0 | 80 | 20 |

## 2 平均

### ① 平均

いくつかの数や量を等しく（同じに）なるようにならしたもの（でこぼこをなくして同じにしたもの）を**平均**といいます。

くみこさんはみかんを２つ食べました。のりこさんは４つ食べました。さなえさんは３つ食べました。３人が食べた数の**平均**はいくつでしょう。

３人が食べたみかんは全部で２＋４＋３＝９で、９つです。
９つを３人に同じに分けると９÷３＝３で、３つになります。
４つと２つと３つをでこぼこをなくして同じにすると、３つと３つと３つになります。

3人が食べた**合計**÷食べた人数（**個数**）＝3人が食べた数の**平均**

（4＋2＋3）9つ　　3人

式　4＋2＋3＝9

9÷3＝3　　答え　3つ

3人が食べた数の**平均**は3つでした。

| **平均**　＝　**合計**　÷　**個数** |
|---|

② **合計**

3人がりんごを**平均**2つ食べました。3人が食べたりんごの**合計**はいくつでしょう。

3人が食べた**平均**　×　**個数**　＝　3人が食べた**合計**

2つ　　3人　　6つ

式　2×3＝6　　答え　6つ

3人が食べたりんごの**合計**は6つです

| **合計**　＝　**平均**　×　**個数** |
|---|

### ③ 個数

**平均**4つあめを食べました。食べたあめの**合計**は１２でした。

何人で食べたのでしょう。

みんなで食べたあめの**合計**　÷　１人が食べたあめの**平均**

（１２）　　　　　　（４つ）

＝　あめを食べた人数（**個数**）

式　１２÷４＝３　　答え　３人

３人であめを食べました。

| **個数**　＝　**合計**　÷　**平均** |
|---|

### ④ 問題例

下の数はりんたろうさんのサッカーチームの５試合の**得点**を表したものです。１試合に**平均**何点とったことになりますか。

| 試合 | １回目 | ２回目 | ３回目 | ４回目 | ５回目 |
|---|---|---|---|---|---|
| **得点** | ２ | ４ | ５ | １ | ３ |

**平均**＝**合計**÷**個数**ですから

**平均得点**＝**得点**の**合計**÷試合数（**個数**）

試合は５試合行いましたから**個数**は５です。

**得点**の**合計**は２＋４＋５＋１＋３＝１５ですから１５点です。

**得点**の**合計**　÷　試合数（**個数**）＝**平均**（点）です。
（１５点）　　　　　　（５試合）

式　１５÷５＝３　　答え　３点

５試合の**平均**は３点でした。１試合で**平均**３点とったことになります。

# V 割合と百分率

割合　倍　比べる量　もとにする量
百分率　帯グラフ　円グラフ　歩合
5割3分2厘　割引　定価

## 1 割合

### ① 割合

この部屋に日本人が6人います。カンボジア人が3人います。
日本人はカンボジア人の何**倍**いますか。

6（人）÷ 3（人）＝ 2（**倍**）

↓　　　　↓

日本人の数　　カンボジア人の数

カンボジア人　3人

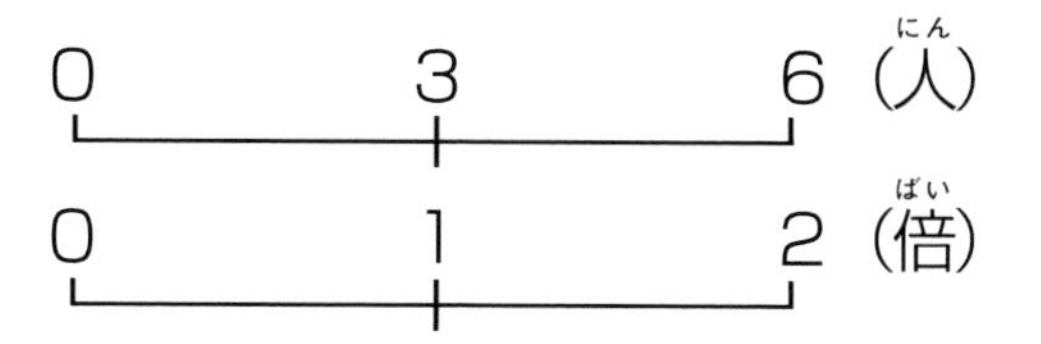


式　6÷3＝2

答え　2**倍**

日本人　6人

この部屋に日本人はカンボジア人の
2**倍**います。

では、カンボジア人は日本人の何**倍**いますか。

式　3÷6＝0．5

答え　0．5**倍**

この部屋にカンボジア人が日本人の 0.5 **倍**います。

0．5**倍**のことを「**もとにする量**（日本人）を１と考えたときの0．5の**割合**」といいます。

**割合**は整数と、小数と分数で表わすことができます。

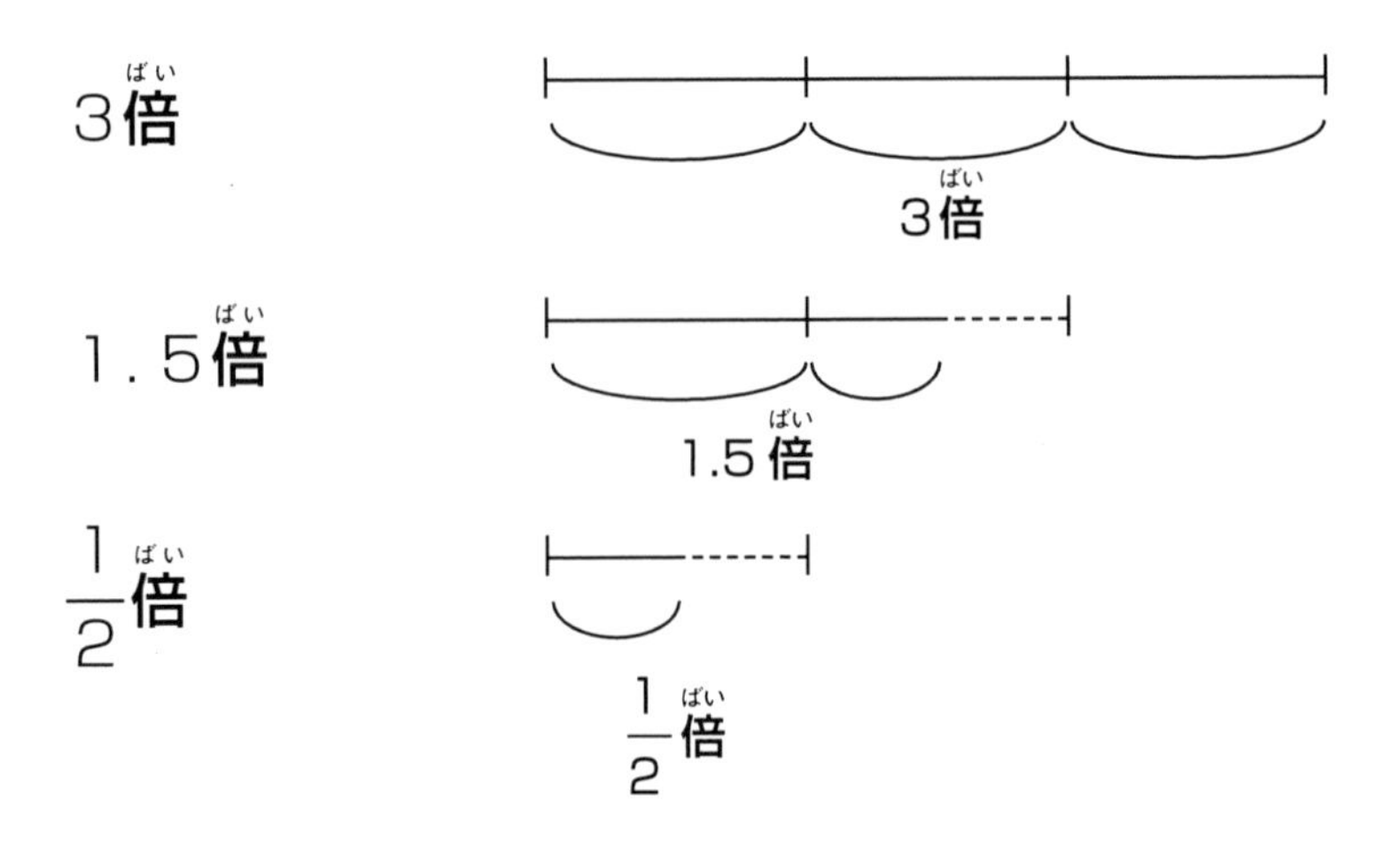


② **割合**の求め方

**割合**は**比べる量**（カンボジア人）が**もとにする量**（日本人）のどれだけに当たるかを表す数のことです。

**比べる量** ÷ **もとにする量** ＝ **割合**

（カンボジア人３人）　（日本人６人）　（０．５**倍**）

式　３÷６＝０．５　　答え　０．５**倍**

カンボジア人は日本人の０．５**倍**の**割合**です。

| **割合**　＝　**比べる量**　÷　**もとにする量** |
|---|

③　問題例

さくら中学校の全校生徒数は２５０人です。女子は７５人です。
全校生徒数に対する女子の**割合**をだしましょう。

式　７５÷２５０＝０．３

答え　０．３**倍**

男子

女子

全校生徒数に対する女子の**割合**は０．３**倍**です。

## 2 百分率

**百分率**は**割合**を表す方法のひとつです。

**百分率**は**もとにする量**を１００と考えたときの**割合**のことです。

小数で表した**割合**を１００**倍**したものです。

０．０１**倍**を1％（パーセント）といいます。

％は**割合**の単位です。

| ０．１**倍**＝１０％　０．２５**倍**＝２５％　０．５**倍**＝５０％<br>1**倍**＝１００％　2**倍**＝２００％ |
|---|

上記のさくら中学校で女子の数の**割合**は、全校生徒数の０．３**倍**でした。

★女子の人数は全校生徒数の何％になるか考えましょう。

小数で表した**割合**を１００**倍**すると％ですから

０．３**倍**は３０％になります。

式　０．３ × 100 ＝３０

答え　３０％

女子の人数は全校生徒数の３０％です。

## 3　帯グラフと円グラフ

**割合**を見やすくするためのグラフとして**帯グラフ**と**円グラフ**があります。

### ①　帯グラフ

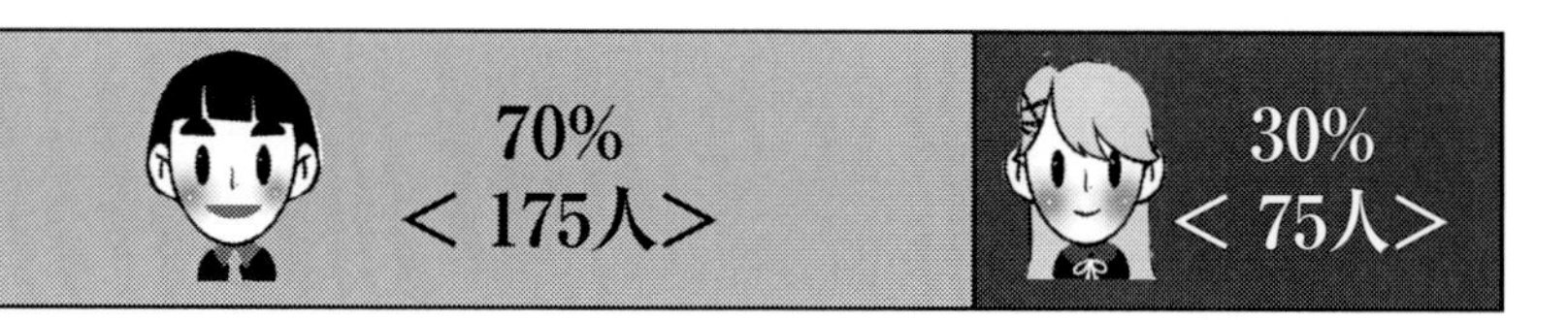


**帯グラフ**にすると女子の人数が３０％というのが全体のどのくらいかが目で見てよくわかります。

★では男子の人数は全校生徒数の何％でしょう。
全体が１００％ですから、すぐわかります。１００－３０＝７０ですから７０％です。これを**割合**の公式に当てはめて計算してみましょう。
**比べる量**と**もとにする量**がはっきりわかるためです。

男子の人数は２５０人（全校生徒数）－７５人（女子の人数）＝１７５人です。

| **割合　＝　比べる量　÷　もとにする量** |
|---|

**比べる量**　÷　**もとにする量**　＝　**割合**

(男子数 175 人)　(全校生徒数 250 人)　(男子の人数の**割合** 0.7 **倍**)

１７５÷２５０＝０．７

式　０．７×１００＝７０

答え　７０％

男子数の**割合**は、全校生徒数の０．７**倍**で、７０％になりました。

② **円グラフ**

下のようなグラフを**円グラフ**といいます。

**帯グラフ**と同じく、**割合**が見やすいです。

## 4 歩合

### ① 歩合

**歩合**は日本で昔から使っている**割合**を表す方法です。
小数で表した**割合**を１００**倍**すると**百分率**で、１０**倍**すると**歩合**になります。

| | | | | |
|---|---|---|---|---|
| 1倍 | = | 100% | = | 10割 |
| 0.1倍 | = | 10% | = | 1割 |
| 0.01倍 | = | 1% | = | 1分 |
| 0.001倍 | = | 0.1% | = | 1厘 |
| 0.532倍 | = | 53.2% | = | 5割3分2厘 |

さくら中学校の女子の**割合**は全体の生徒数の０．３**倍**で、３０％です。
**歩合**で表わすと３**割**です。

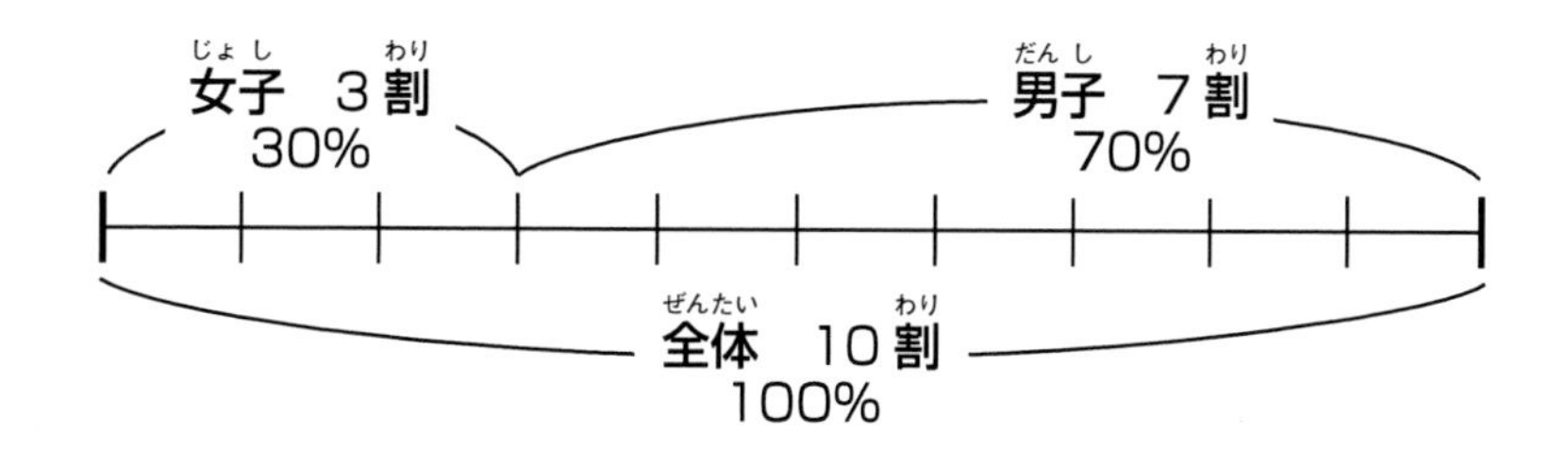

## ② 割引

★4000円の3**割引**はいくらでしょうか。

3**割引**の意味は**定価**（品物の決まった値段）から3**割**を引いた値段のことです。

1）４０００円の３**割**は

いくらでしょうか。

４０００円×０．３＝１２００円

では４０００円の３**割**を引いた値段をだします。

４０００円－１２００円＝２８００円

式　４０００×０．３＝１２００

４０００－１２００＝２８００

答え　２８００円

2）もうひとつの考え方

**定価**を１と考え、そこから３**割**、０．３をひきます。

１－０．３＝０．７

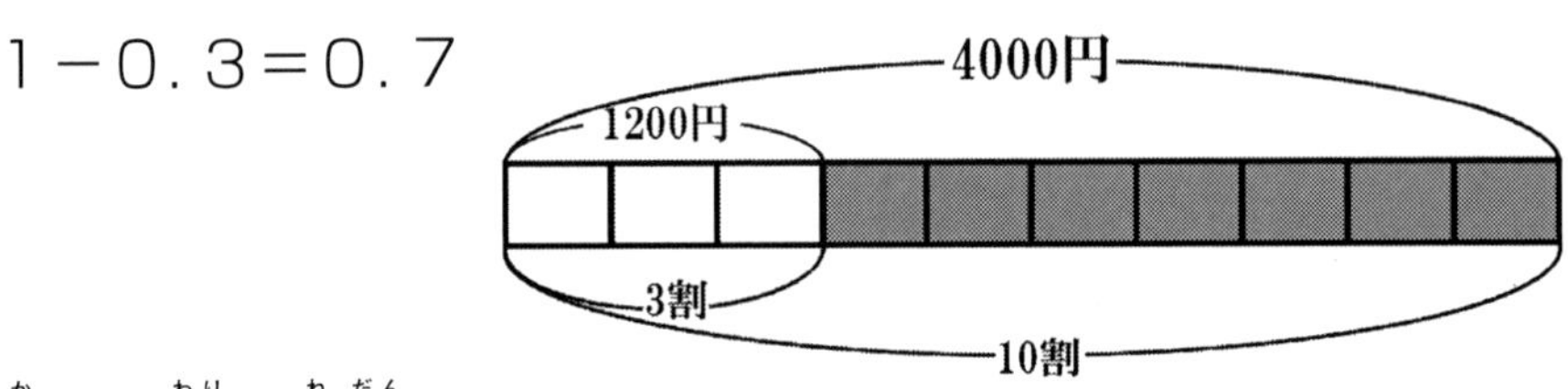


**定価**の７**割**の値段をだします。

式　４０００×０．７＝２８００

答え　２８００円

# Ⅵ　比例と比

**比例　反比例　曲線　比　等しい比**

## 1　比　例

下の正三角形で１辺の長さを X、まわりの長さを Y とします。

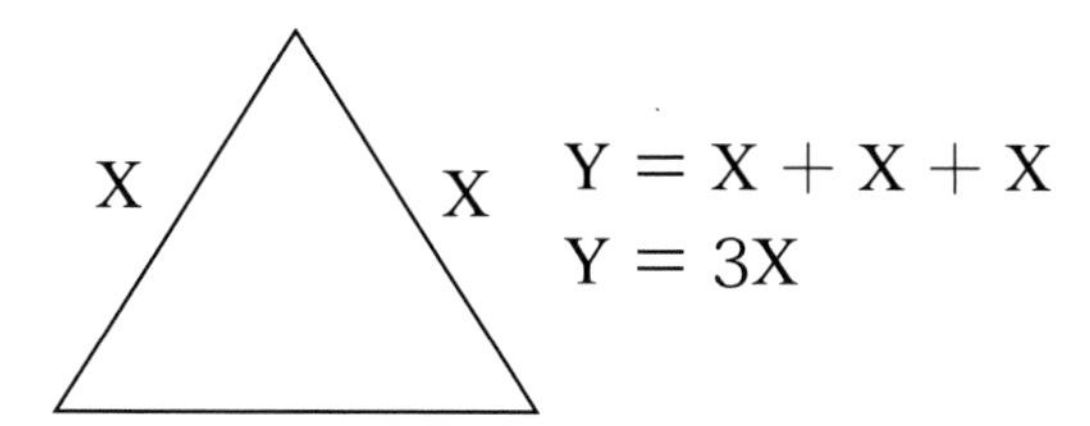


| １辺の長さ x (cm) | 1 | 2 | 3 | 4 |
|---|---|---|---|---|
| まわりの長さ y (cm) | 3 | 6 | 9 | 12 |

正三角形の１辺の長さ（X）が、２倍、３倍、４倍になると、まわりの長さ（Y）も、２倍、３倍、４倍になります。
このように　一方が２倍、３倍、４倍になると、もうひとつも２倍、３倍、４倍になるとき、Y は X に**比例**するといいます。

**【比例のグラフ】**

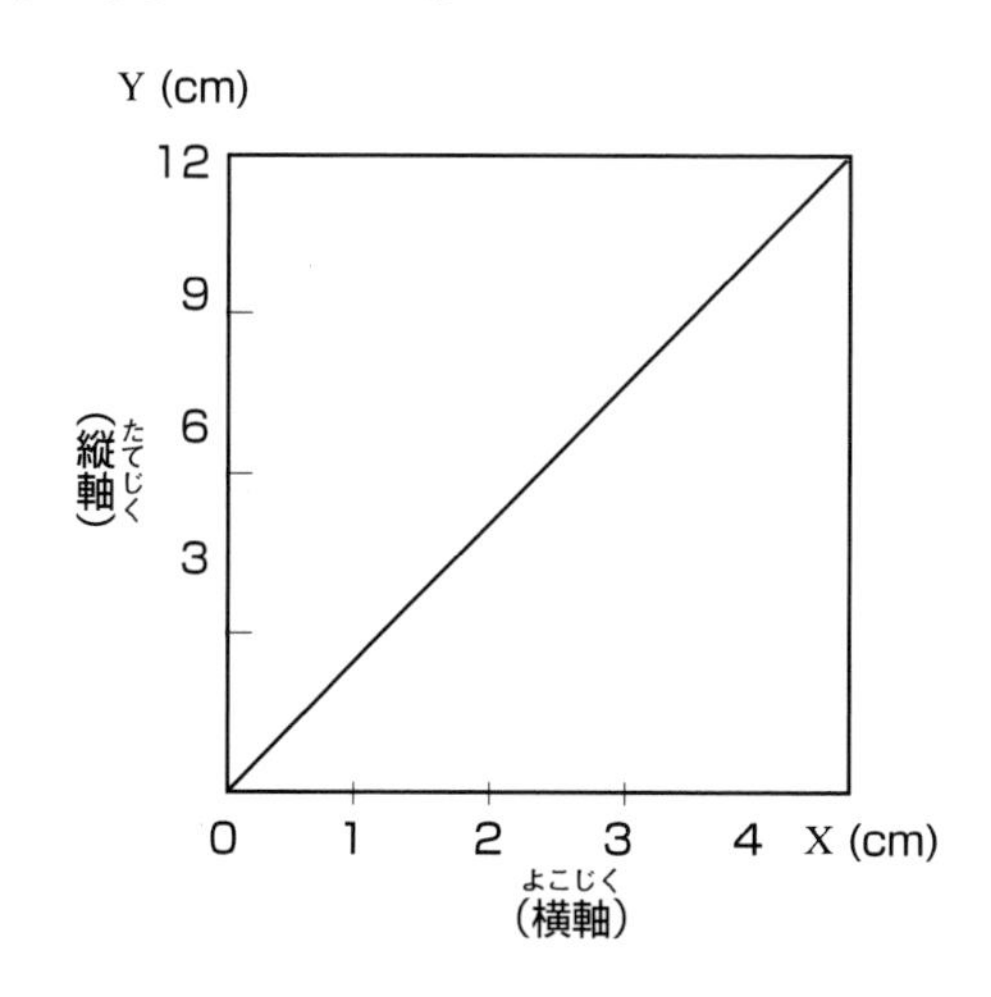


**比例**のグラフは、直線です。
横軸と縦軸の交わる点を
通ります。

## 2 反比例

平行四辺形の面積は、底辺×高さです。

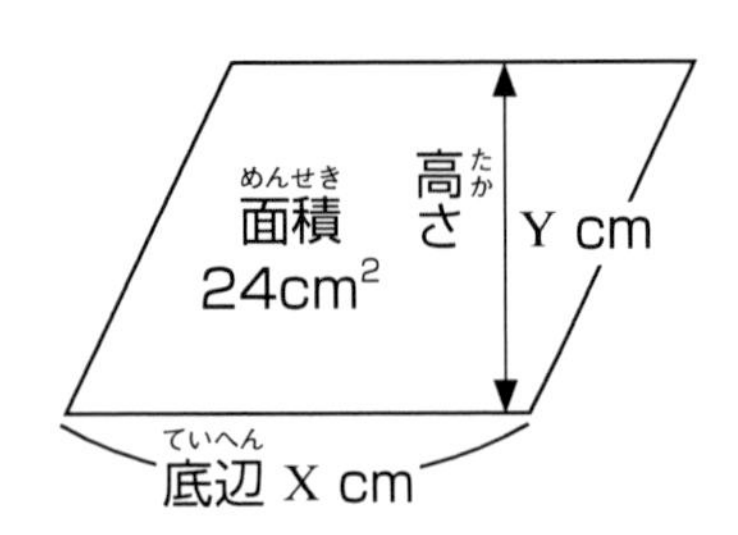


面積が２４ｃｍ²の場合

2倍　3倍　4倍　5倍

| 底辺の長さ X（cm） | 1 | 2 | 3 | 4 | 5 |
|---|---|---|---|---|---|
| 高さ　Y（cm） | 24 | 12 | 8 | 6 | 4.8 |

$\frac{1}{2}$倍　$\frac{1}{3}$倍　$\frac{1}{4}$倍　$\frac{1}{5}$倍

底辺の長さ（X）が2倍、3倍、4倍、5倍になると、高さ（Y）は、$\frac{1}{2}$、$\frac{1}{3}$、$\frac{1}{4}$、$\frac{1}{5}$ になります。このように、一方が2倍、3倍、4倍、5倍になると、もう一方が $\frac{1}{2}$、$\frac{1}{3}$、$\frac{1}{4}$、$\frac{1}{5}$ になるとき、YはXに**反比例**するといいます。

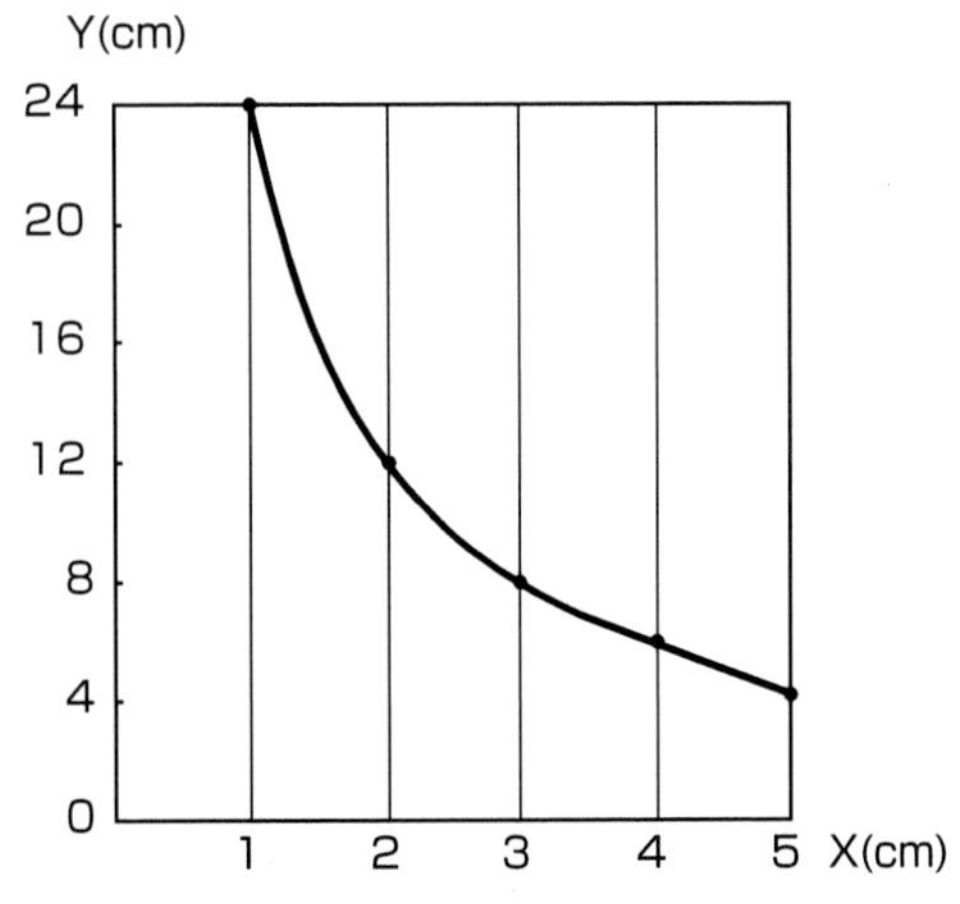


**反比例**のグラフは、**曲線**になります。

## 3 比

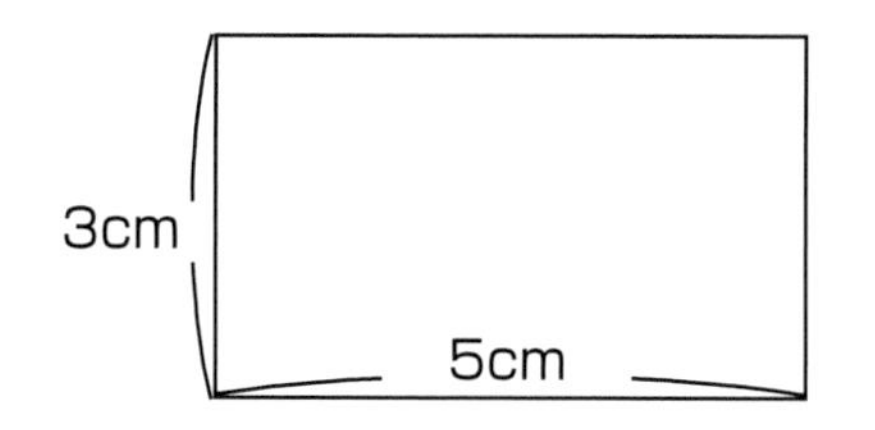


左の長方形の縦の長さは３ｃｍ、横の長さは５ｃｍです。

このとき、縦と横の長さの割合は、３：５（３対５）です。
３：５のように表したものを**比**といいます。

### 等しい比

＊ 私たちの身の回りのものは、どんな**比**になっているでしょう。

| | | | |
|---|---|---|---|
| アナログテレビ | 縦 | 横 | ４：　５ |
| デジタルテレビ | 縦 | 横 | ９：１６ |

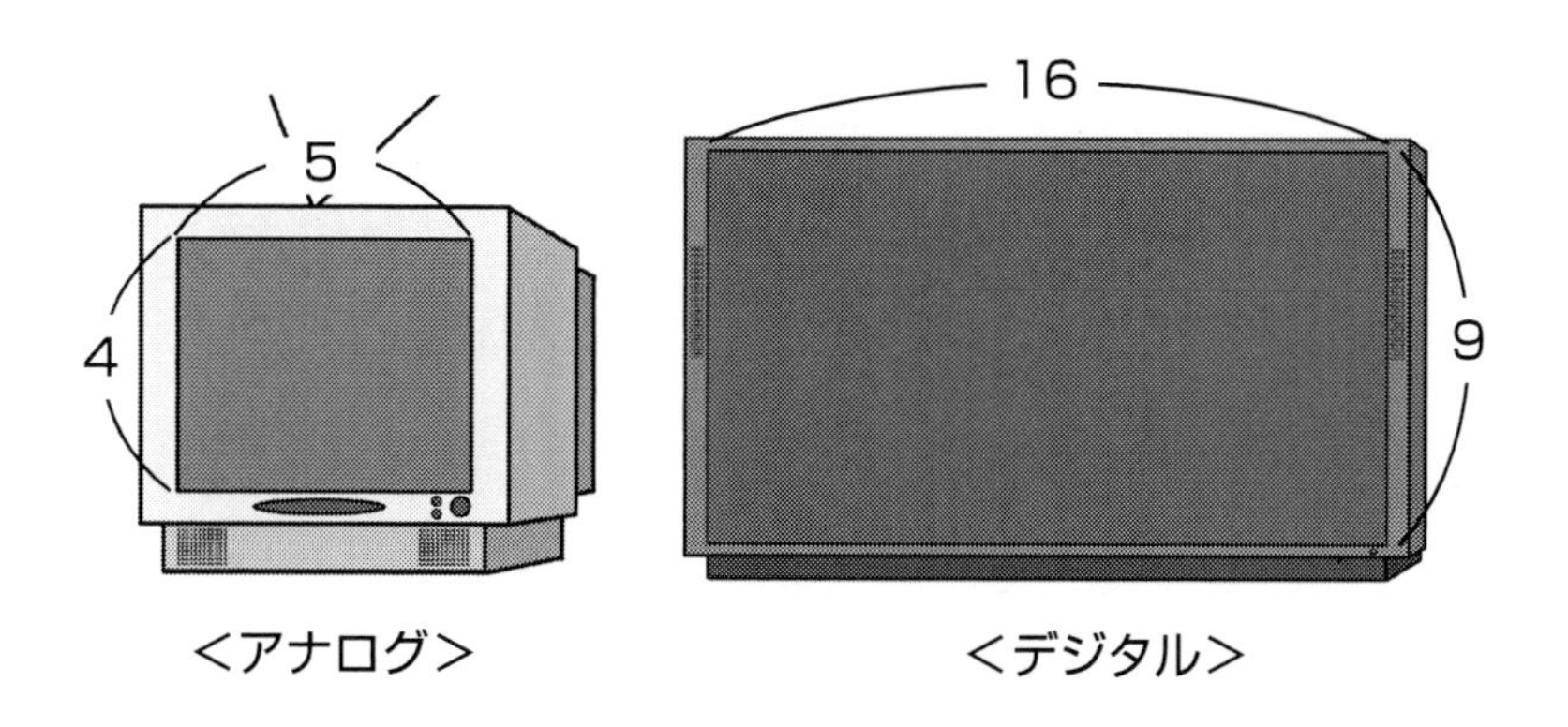

<アナログ>　<デジタル>

アナログテレビと、デジタルテレビは、大きさが変わっても縦と横の**比**は、変わりません。これを**等しい比**といいます。

# Ⅶ　表とグラフ

表　表題　棒グラフ　折れ線グラフ
帯グラフ　円グラフ　比例のグラフ
反比例のグラフ

## 1　表

たかしさんの学校の１週間の欠席人数を調べて**表**にしました。このグラフの**表題**は欠席人数です。**表**にすると、数がわかりやすいです。

【欠席人数】

| 曜日 | 月曜日 | 火曜日 | 水曜日 | 木曜日 | 金曜日 |
|---|---|---|---|---|---|
| 人数 | 15 | 8 | 5 | 2 | 10 |

（人）

## 2　グラフ

### ①　棒グラフ

**棒グラフ**にすると、
数が比べやすいです。
１目もりは、２人です。
縦軸は欠席人数、
横軸は曜日を
表しています。

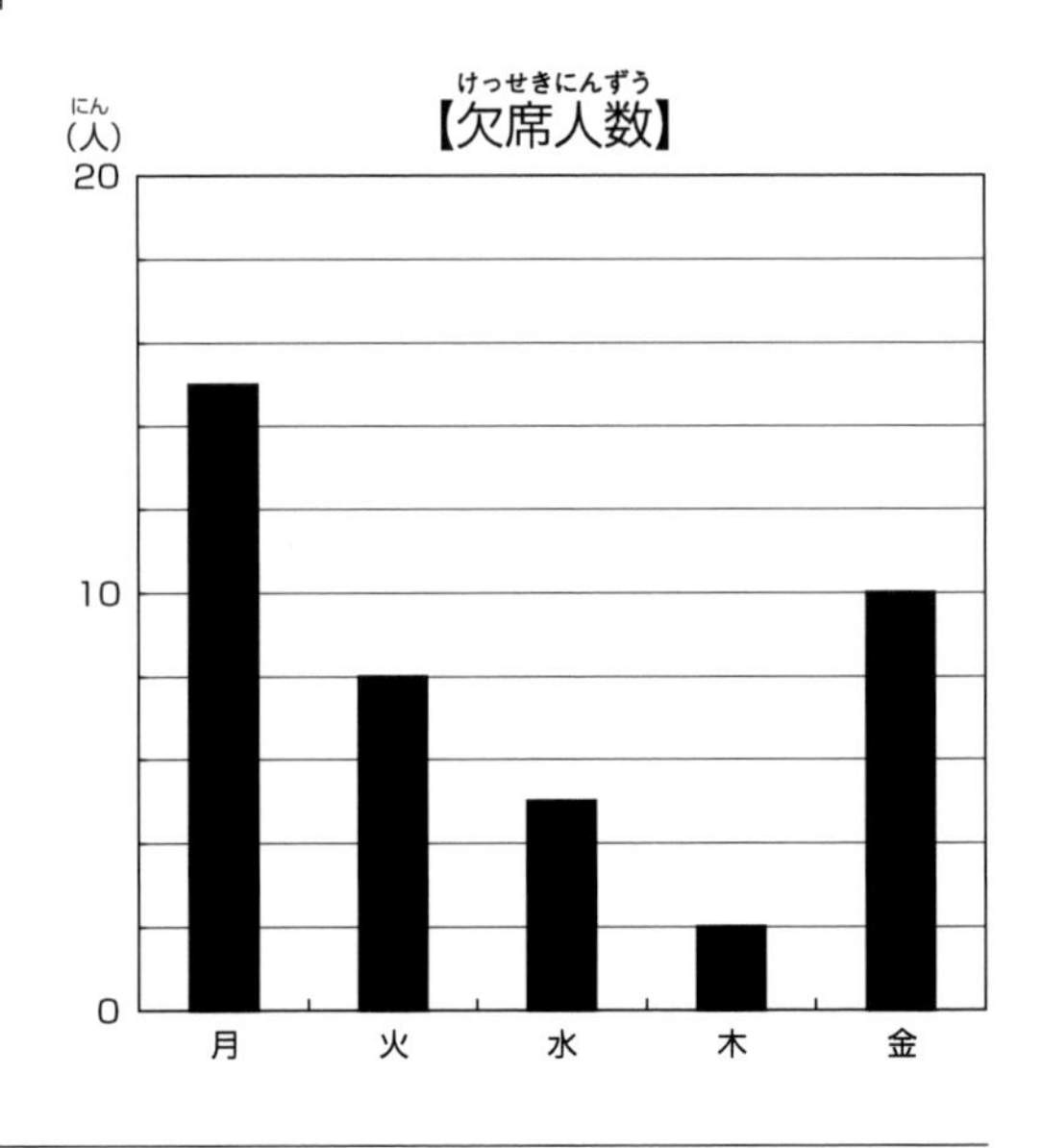

## ② 折れ線グラフ

ある年の北京の１年間の平均気温は、次のようでした。

| 月 | 1 | 2 | 3 | 4 | 5 | 6 | 7 | 8 | 9 | 10 | 11 | 12 |
|---|---|---|---|---|---|---|---|---|---|---|---|---|
| 平均気温 | −4.6 | 2.2 | 4.5 | 13.1 | 19.8 | 24.0 | 25.8 | 24.4 | 19.4 | 12.4 | 4.1 | −2.7 |

**折れ線グラフ**は、

変化がわかりやすいです。

北京の１年間の平均気温で

いちばん高いのは７月で、

いちばん低いのは１月です。

縦軸は気温、横軸は月を

表しています。

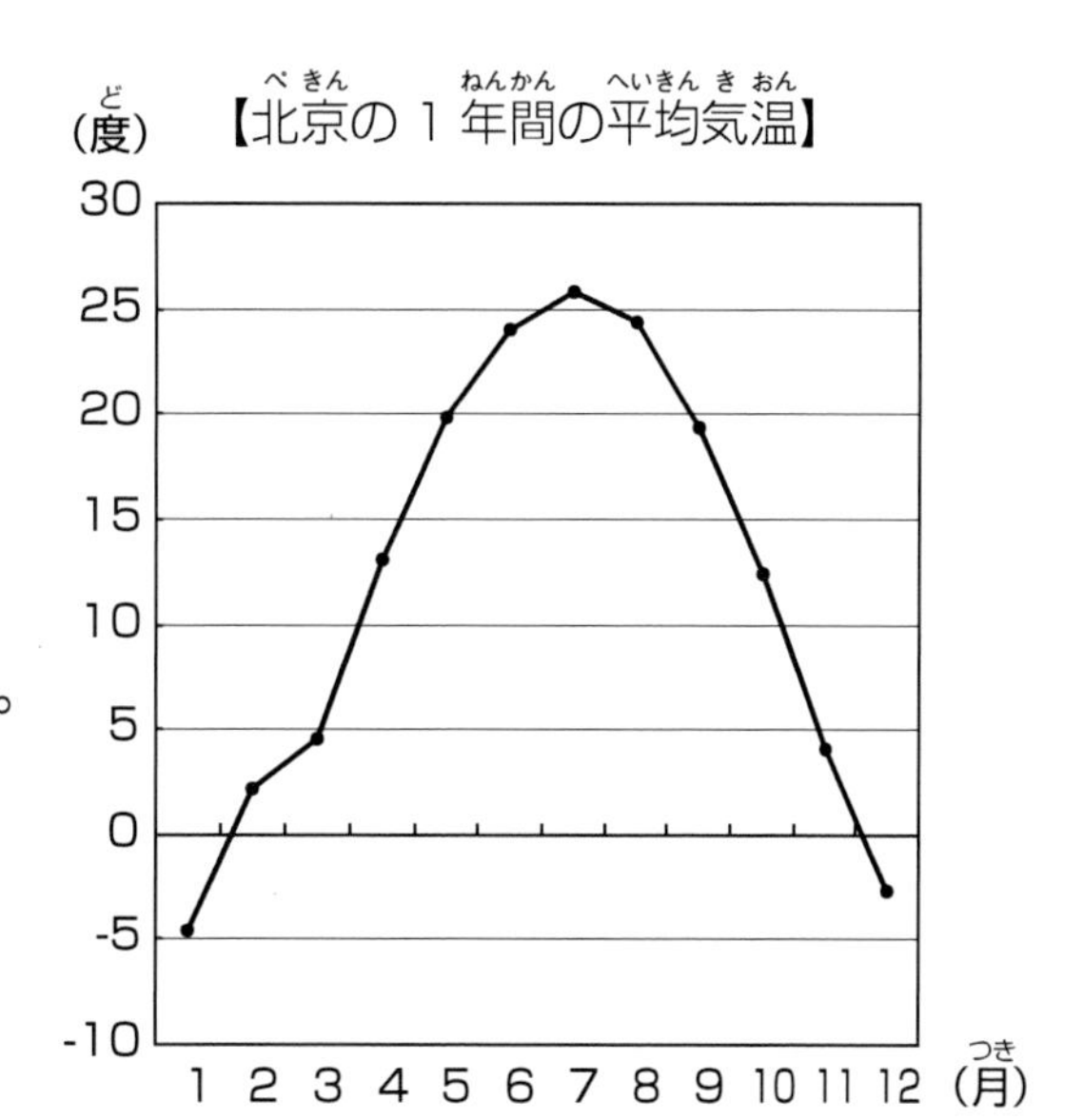


## ③ 割合を表すグラフ

【2010 年の世界の人口】

| アジア | アフリカ | ヨーロッパ | 北アメリカ | 南アメリカ | オセアニア |
|---|---|---|---|---|---|
| 60.4 | 14.7 | 10.6 | 7.9 | 5.9 | 0.5 |

（100%）

資料：世界の統計

＊オセアニア…オーストラリアとニュージーランドと南太平洋の島々

【帯グラフ】

長方形を100にわけて、割合を書いたグラフを**帯グラフ**といいます。

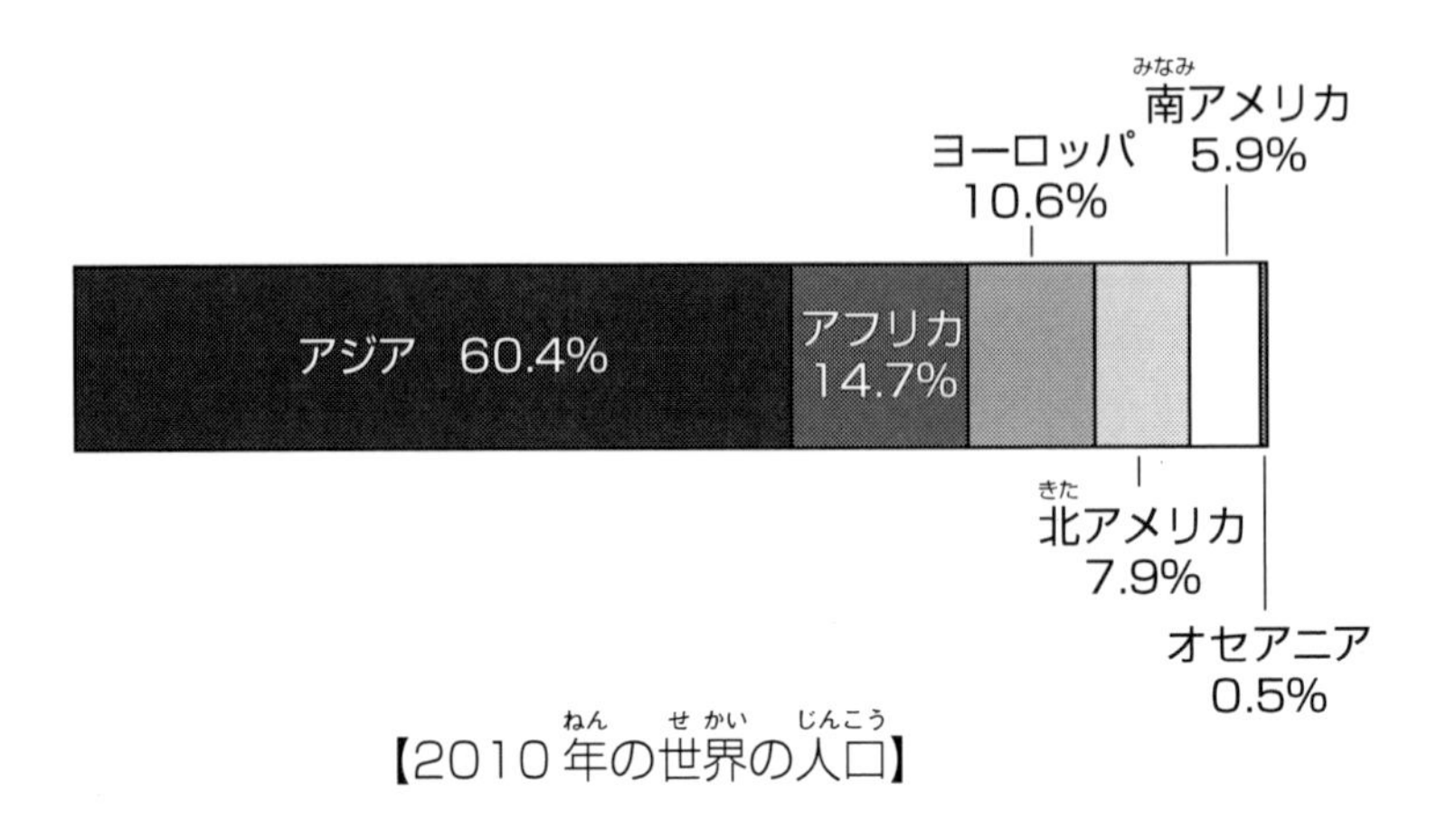


【2010年の世界の人口】

【円グラフ】

円の周りを100に分けて、扇形に区切って割合を表したものを**円グラフ**といいます。

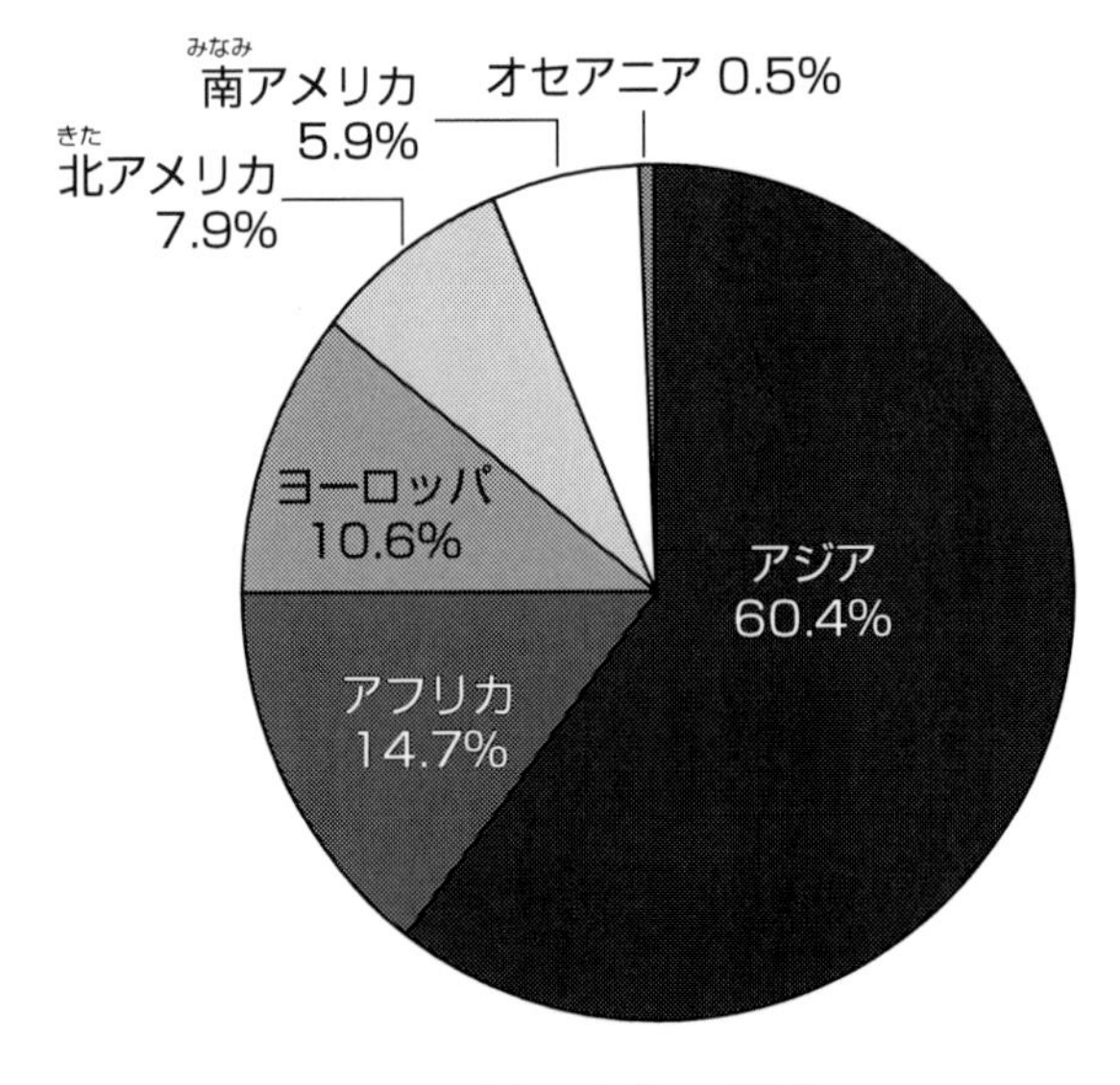


【2010年の世界の人口】

## ④　比例のグラフ

えんぴつ１本は、５０円です。えんぴつの本数と値段は比例します。

| 本数X（本） | 1 | 2 | 3 | 4 | 5 | 6 |
| --- | --- | --- | --- | --- | --- | --- |
| 値段Y（円） | 50 | 100 | 150 | 200 | 250 | 300 |

えんぴつの本数を X

えんぴつの値段を Y とすると、

（Y ＝５０X）　になります。

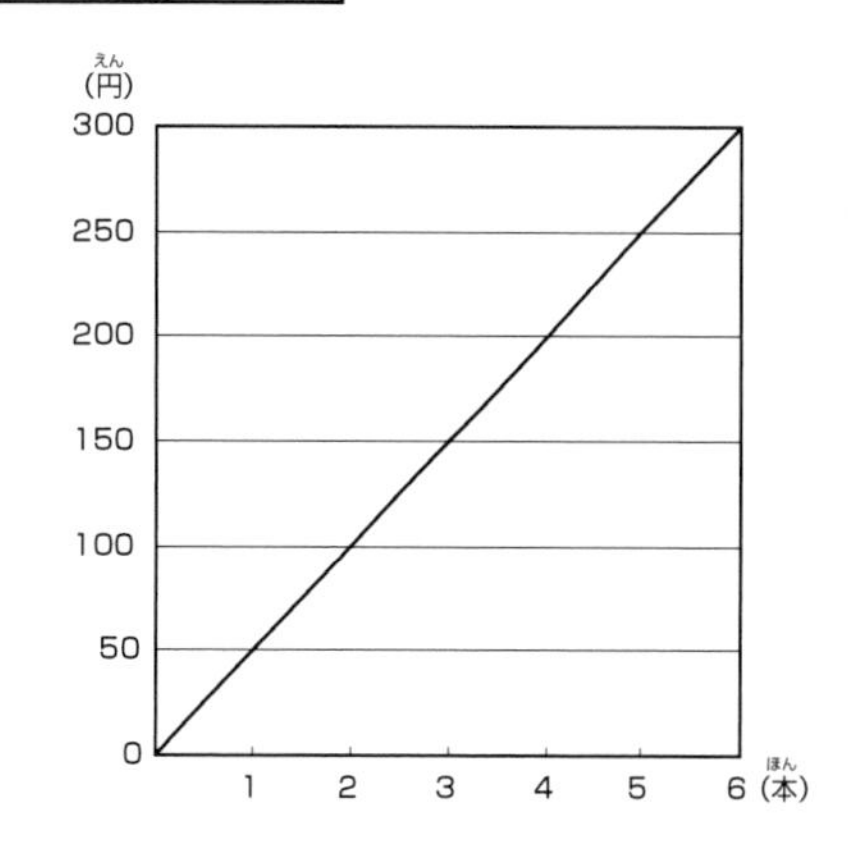


## ⑤　反比例のグラフ

４００ｋｍはなれた所に車で行きます。時速とかかる時間は、反比例します。

| 時速 X（ｋｍ） | 10 | 20 | 30 | 40 | 50 | 80 | 100 |
| --- | --- | --- | --- | --- | --- | --- | --- |
| かかる時間 Y（時間） | 40 | 20 | 13.3 | 10 | 8 | 5 | 4 |

時速を X

かかる時間を Y とすると、

（X × Y ＝４００）になります。

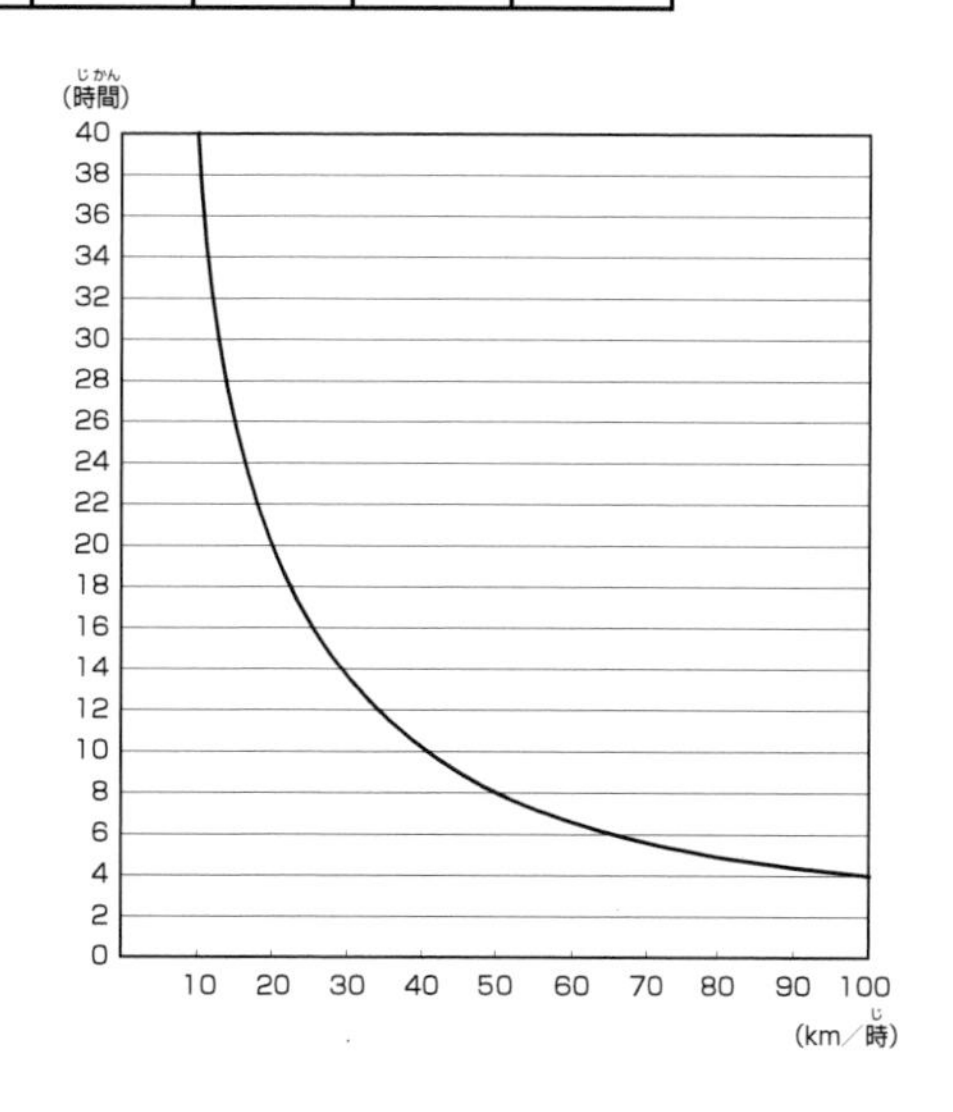

# 練習問題（れんしゅうもんだい）・キーワードリスト

# 練習問題

## Ⅰ　単位

下の□の中から番号を選んで（　　）に書きなさい。

1　たまご1個の（　　　　）は50 gです。

2　富士山の（　　　　）は3776mです。

3　水の（　　　　）をかさといいます。

| ①　**高さ** | ②　**量** | ③　**重さ** |
|---|---|---|

## Ⅱ　数

□から記号を選んで答えを書きましょう。

1　3×2＝6　　　　6は（　①　）です。

2　8÷4＝2　　　　2は（　　　）です。

3　7－3＝4　　　　4は（　　　）です。

4　9＋5＝14　　　14は（　　　）です。

| ①　**積** | ②　**和** | ③　**差** | ④　**商** |
|---|---|---|---|

## Ⅲ　図形ー①

次の面積の求めかたを番号で（　　）に書きなさい。

1

（　　）

2

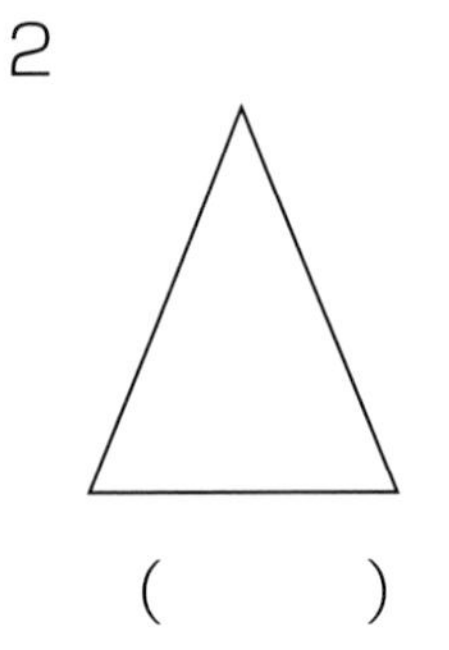

（　　）

3

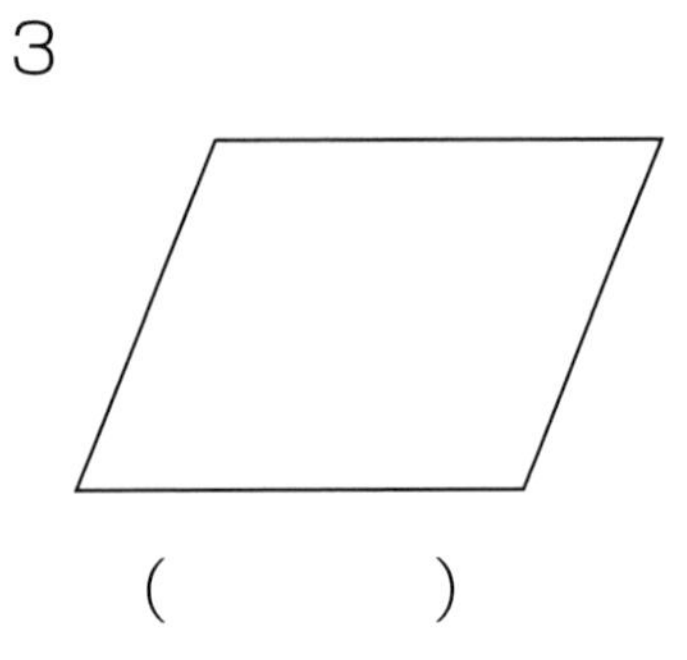

（　　）

4

（　　）

5

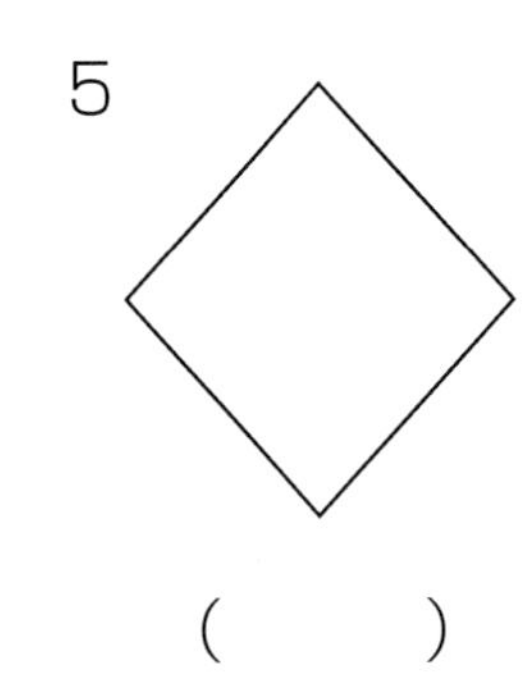

（　　）

6

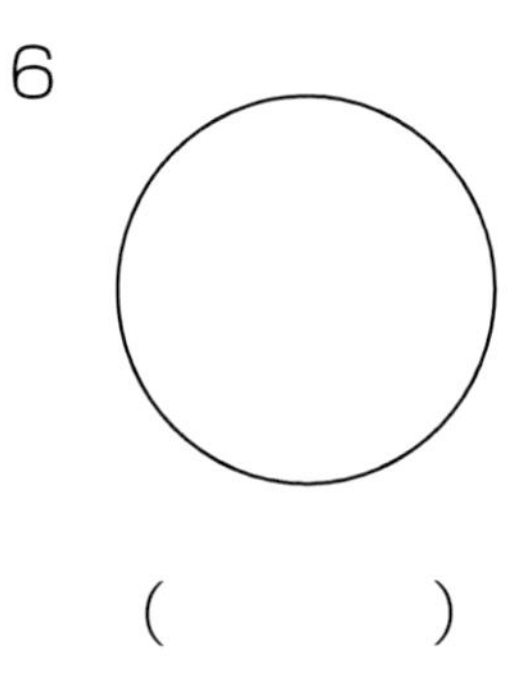

（　　）

| | |
|---|---|
| ① **対角線**×**対角線**÷２ | ②（**上底**＋**下底**）×高さ÷２ |
| ③ **底辺**×高さ÷２ | ④ 縦×横 |
| ⑤ **半径**×**半径**×３．１４ | ⑥ **底辺**×高さ |

## 図形ー②

次の図形の名前を線で結びなさい。

1　直方体　・　① 

2　立方体　・　②

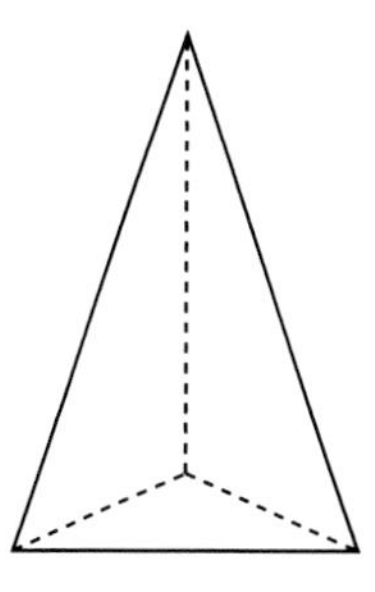

3　円　柱　・　③

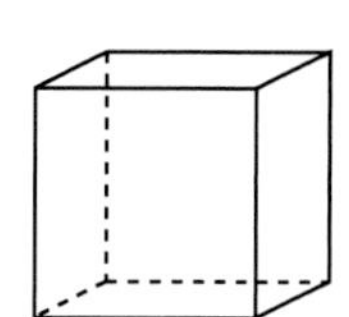

4　角錐　・　④

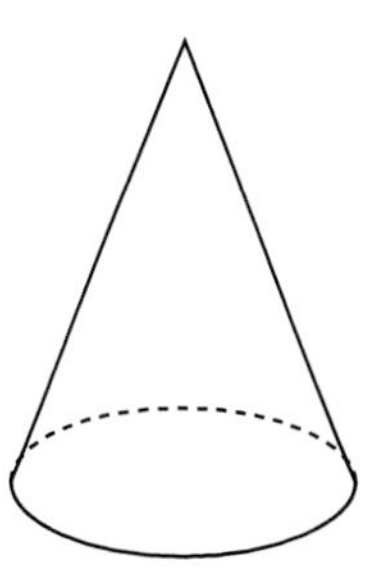

5　円錐　・　⑤

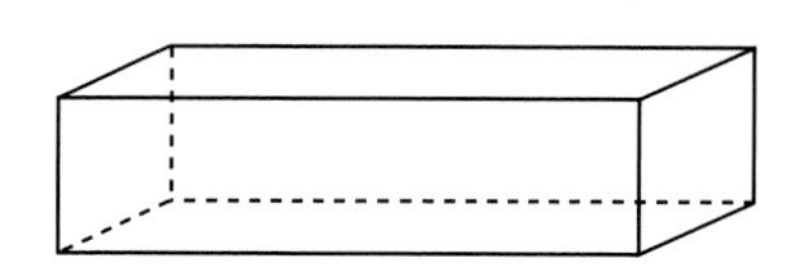

## Ⅳ　**速さ**と**平均**

1　下の問題の式と答えを書きなさい。

のりこさんは、
**分速**２０ｍで自転車に
乗っています。
１５分進んだ道のりは、
何メートルでしょうか。

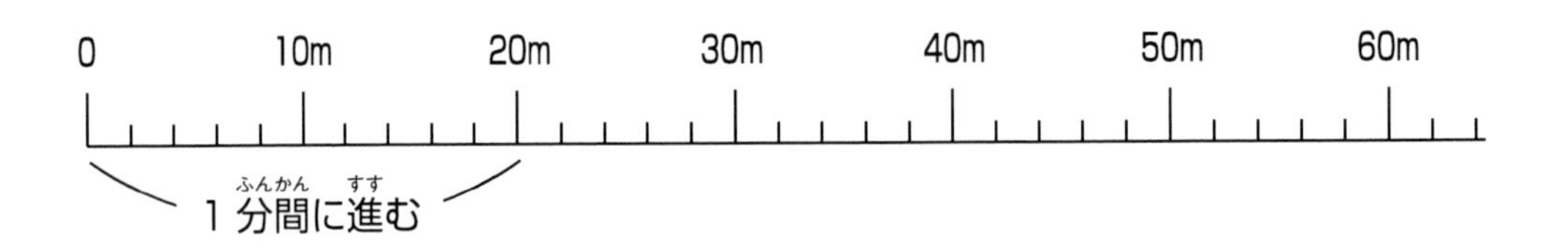


式

答え ________________

2　あやはさんの算数のテストが今まで４回ありました。
**平均**点は８５点でしたが、今回は１００点をとりました。**平均**点は何点になりましたか。

式

答え ________________

## V 割合と百分率

1 下のことばと合っているものを線で結びなさい。

① **百分率** a **比べる量÷もとにする量**

② 平均 b 道のり÷時間

③ **割合** c もとにする量を 100 と考えた**割合**のこと

④ 速さ d いくつかの数や量を等しくなるようにならしたもの

2 下の問題に答えなさい。

３００円の品物を２**割引**で買うといくらになりますか。

① 式

答え＿＿＿＿＿＿＿＿

② 式

答え＿＿＿＿＿＿＿＿

①と②はどちらの式でもいいです。

## Ⅶ　表とグラフ

1　次のグラフは　何グラフですか。下の□の中から選んで記号を書きなさい。

①　K市の観光客の数

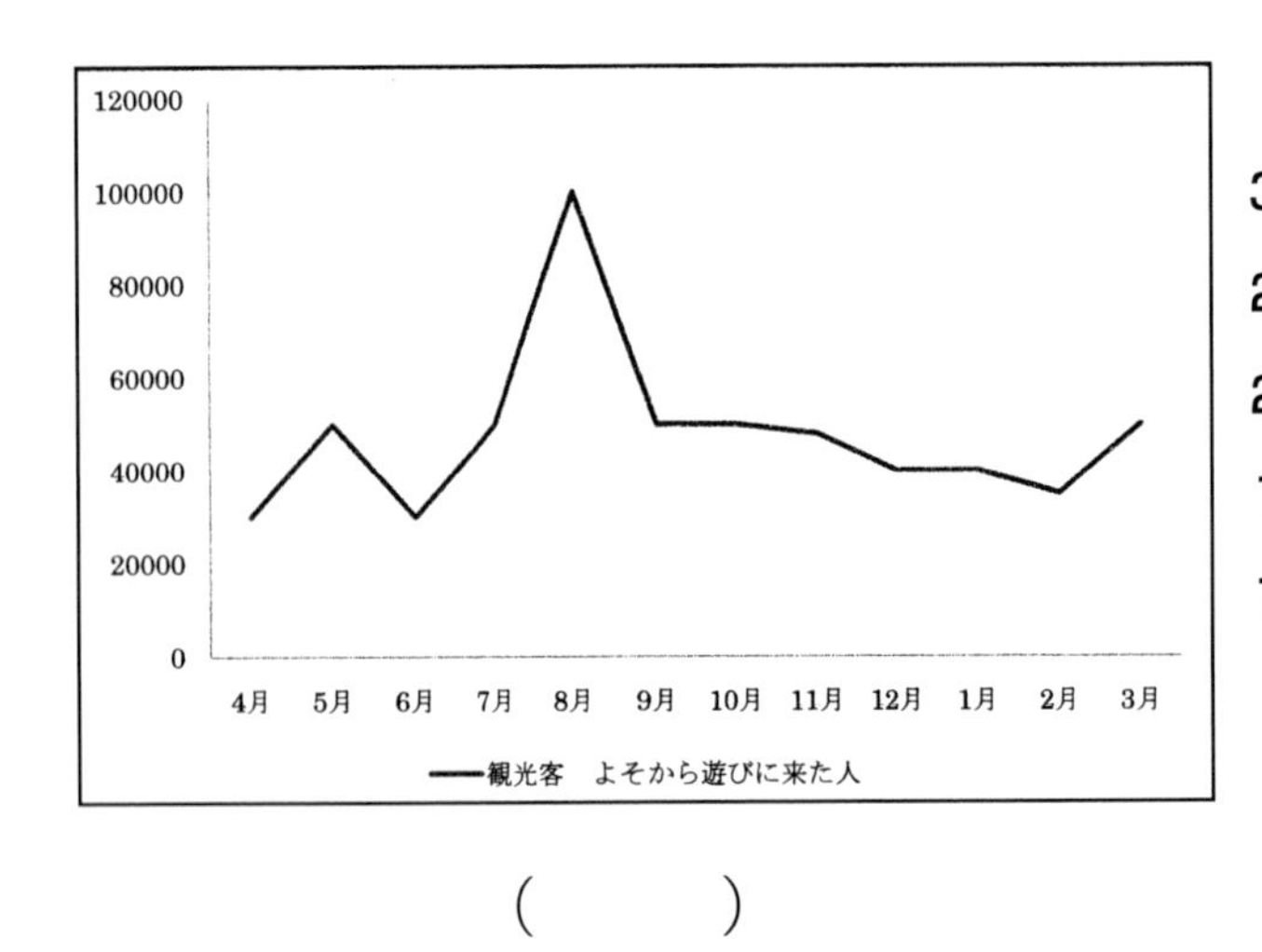


(　　　)

②　1分間に5ℓ出る水道の時間と水の量

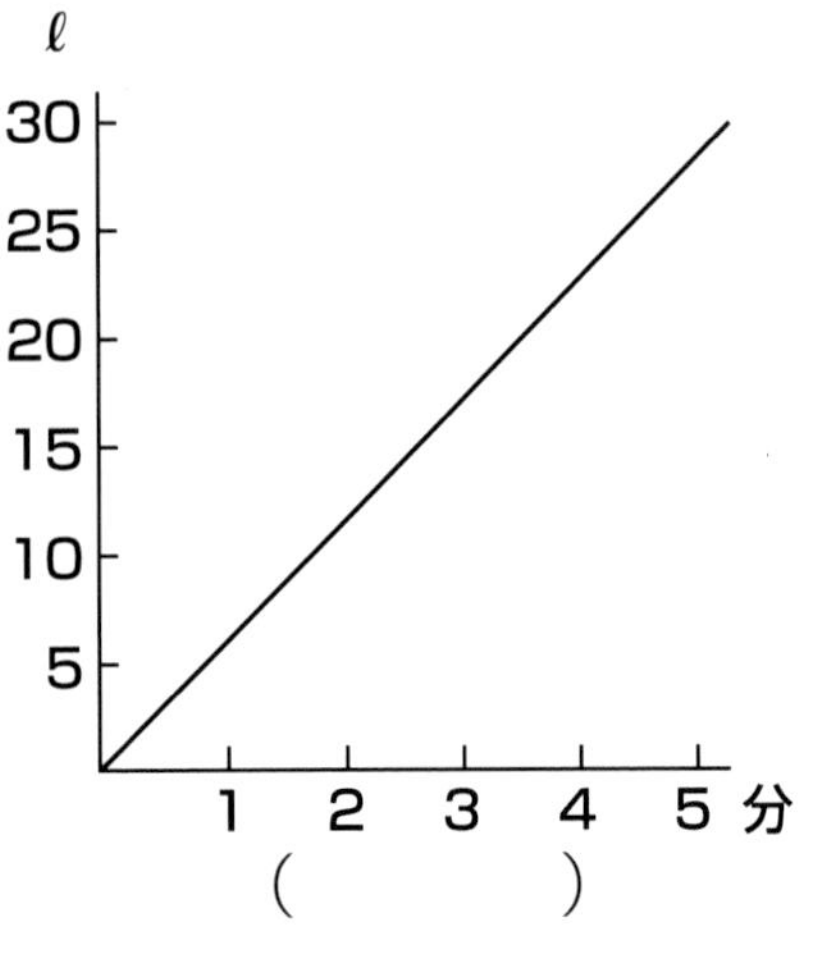


(　　　)

③　埼玉県の土地利用

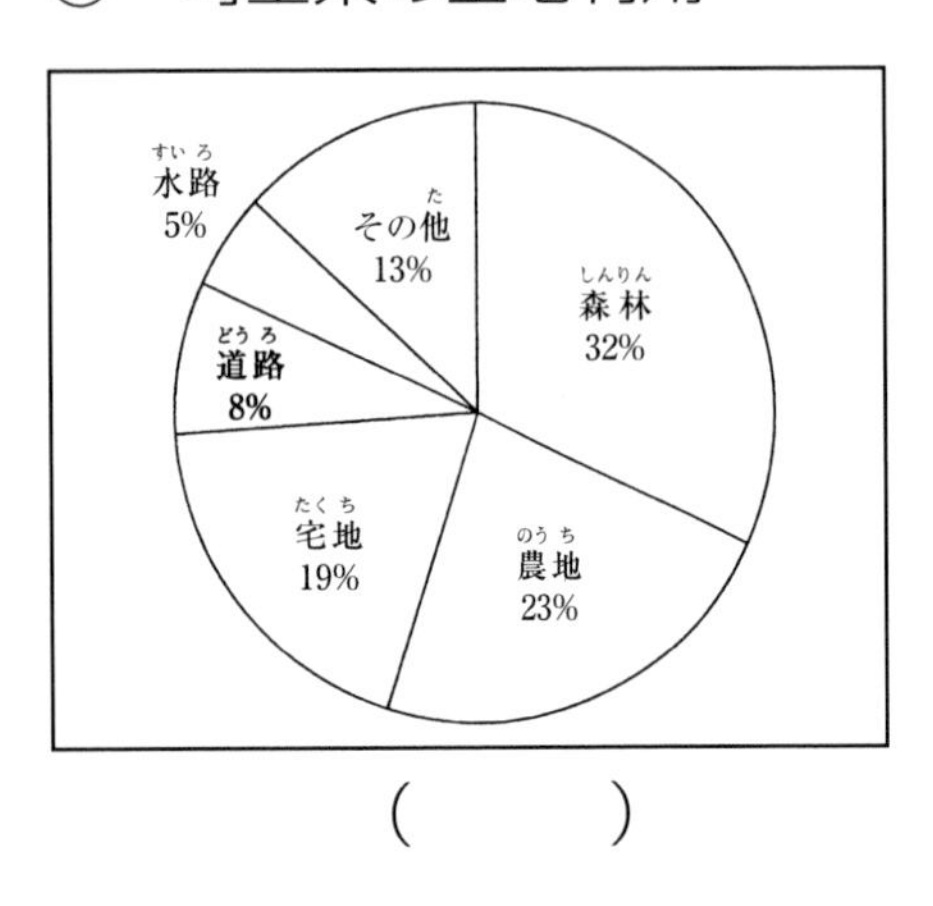


(　　　)

④　好きな教科

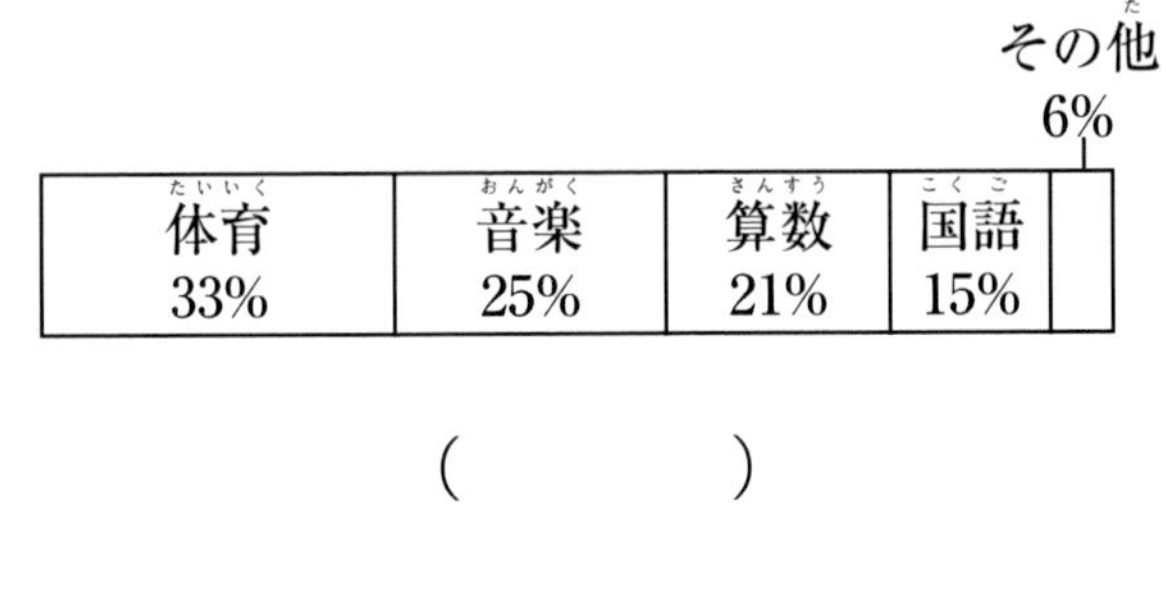


(　　　)

| | |
|---|---|
| a　折れ線グラフ | b　帯グラフ |
| c　円グラフ | d　比例のグラフ |

# 練習問題　解答

Ⅰ　1 — ③　2 — ①　3 — ②

Ⅱ　2 — ④　3 — ③　4 — ②

Ⅲ　図形－①

1 — ④　2 — ③　3 — ⑥　4 — ②

5 — ①　6 — ⑤

図形－②

1 — ⑤　2 — ③　3 — ①　4 — ②

5 — ④

Ⅳ　1　式　20×15＝300

答え　300m

2　式　85×4＋100＝440　440÷5＝88

答え　88点

Ⅴ　1　① — c　② — d　③ — a　④ — b

2　式　①　300×0.2＝60

300－60＝240

②　1－0.2＝0.8

300×0.8＝240

答え　240円

Ⅶ　1　① — a　② — d　③ — c　④ — b

# キーワードリスト

## Ⅰ 単位

| | | | | | | | |
|---|---|---|---|---|---|---|---|
| 1 | 単位 | 2 | 時間 | 3 | 分 | 4 | 秒 |
| 5 | 時刻 | 6 | 午前 | 7 | 正午 | 8 | 午後 |
| 9 | 長さ | 10 | 高さ | 11 | 重さ | 12 | 量 |
| 13 | 面積 | 14 | 体積 | | | | |

## Ⅱ 数

### 1 位

| | | | | | | | | | |
|---|---|---|---|---|---|---|---|---|---|
| 1 | 位 | 2 | 一 | 3 | 十 | 4 | 百 | | |
| 5 | 千 | 6 | 万 | 7 | 億 | 8 | 兆 | 9 | 約 |

### 2 整数

| | | | | | |
|---|---|---|---|---|---|
| 10 | 整数 | 11 | 偶数 | 12 | 奇数 |
| 13 | 割り切れる | 14 | 余り | 15 | 和 |
| 16 | 筆算 | 17 | 差 | 18 | 積 |
| 19 | 倍 | 20 | 商 | | |

### 3 小数

| | | | | | |
|---|---|---|---|---|---|
| 21 | 小数 | 22 | 小数点 | 23 | 数直線 |
| 24 | 小数第一位 | 25 | くり上がり | 26 | くり下がり |

### 4 倍数・約数

| | | | | | |
|---|---|---|---|---|---|
| 27 | 倍数 | 28 | 公倍数 | 29 | 最小公倍数 |
| 30 | 約数 | 31 | 公約数 | 32 | 最大公約数 |

### 5　分数(ぶんすう)

３３　真分数(しんぶんすう)　　３４　分母(ぶんぼ)　　３５　分子(ぶんし)

３６　分数(ぶんすう)　　３７　仮分数(かぶんすう)　　３８　帯分数(おびぶんすう)

３９　約分(やくぶん)　　４０　通分(つうぶん)　　４１　等(ひと)しい分数(ぶんすう)

### 6　概数(がいすう)

４２　概数(がいすう)　　４３　切(き)り捨(す)て　　４４　切(き)り上(あ)げ

４５　四捨五入(ししゃごにゅう)　　４６　見積(みつ)もり

## Ⅲ　図形(ずけい)

### 1　点(てん)と線(せん)と角度(かくど)

１　点(てん)　　２　線(せん)　　３　交(まじ)わる　　４　辺(へん)

５　頂点(ちょうてん)　　６　対角線(たいかくせん)　　７　角(かく)　　８　角度(かくど)

９　分度器(ぶんどき)　　１０　直角(ちょっかく)　　１１　垂直(すいちょく)　　１２　平行(へいこう)

### 2　多角形(たかくけい)

１　多角形(たかくけい)　　２　三角形(さんかくけい)　　３　四角形(しかくけい)

４　正三角形(せいさんかくけい)　　５　直角三角形(ちょっかくさんかくけい)　　６　二等辺三角形(にとうへんさんかくけい)

７　正方形(せいほうけい)　　８　長方形(ちょうほうけい)　　９　平行四辺形(へいこうしへんけい)

１０　台形(だいけい)　　１１　ひし形(がた)　　１２　面積(めんせき)

１３　広(ひろ)さ　　１４　底辺(ていへん)　　１５　上底(じょうてい)

１６　下底(かてい)　　１７　内角(ないかく)の和(わ)

### 3 立体（りったい）

1 立体（りったい）　2 見取り図（みとりず）　3 直方体（ちょくほうたい）　4 立方体（りっぽうたい）

5 角柱（かくちゅう）　6 円柱（えんちゅう）　7 角錐（かくすい）　8 円錐（えんすい）

9 面（めん）　10 平面（へいめん）　11 展開図（てんかいず）

12 底面（ていめん）　13 側面（そくめん）　14 曲面（きょくめん）　15 体積（たいせき）

16 底面積（ていめんせき）　17 容積（ようせき）　18 内側（うちがわ）　19 深さ（ふか）

### 4 円（えん）

1 円（えん）　2 球（きゅう）　3 直径（ちょっけい）　4 半径（はんけい）

5 中心（ちゅうしん）　6 円周（えんしゅう）　7 円周率（えんしゅうりつ）　8 面積（めんせき）

## Ⅳ 速さ（はや）と平均（へいきん）

1 速さ（はや）　2 秒速（びょうそく）　3 時速（じそく）　4 分速（ふんそく）

5 道のり（みち）　6 時間（じかん）　7 平均（へいきん）　8 合計（ごうけい）

9 個数（こすう）　10 得点（とくてん）

## Ⅴ 割合（わりあい）と百分率（ひゃくぶんりつ）

1 割合（わりあい）　2 倍（ばい）　3 比べる量（くら・りょう）　4 もとにする量（りょう）

5 百分率（ひゃくぶんりつ）　6 帯グラフ（おび）　7 円グラフ（えん）　8 歩合（ぶあい）

9 5割3分2厘（わり・ぶ・りん）　10 割引（わりびき）　11 定価（ていか）

## Ⅵ　比例(ひれい)と比(ひ)

1　比例(ひれい)　　2　反比例(はんぴれい)　　3　曲線(きょくせん)　　4　比(ひ)

5　等(ひと)しい比(ひ)

## Ⅶ　表(ひょう)とグラフ

1　表(ひょう)　　2　表題(ひょうだい)　　3　棒(ぼう)グラフ

4　折(お)れ線(せん)グラフ　　5　帯(おび)グラフ　　6　円(えん)グラフ

7　比例(ひれい)のグラフ　　8　反比例(はんぴれい)のグラフ

# あとがき

平成十一年十月に『～日本語をまなぶ世界の子どものために～ かんじだいすき（一）』を、ひきつづき『かんじだいすき（二）』、『かんじだいすき（三）』、『かんじだいすき（四）』、『かんじだいすき（五）』、そして平成十八年一月に『～日本語を学ぶ世界の子どものために～ かんじだいすき（六）』を完成しました。

本書『〈中学に向けて〉 日本語をまなぶ世界の子どものために **かんじだいすき 国語・算数編**』と、『〈中学に向けて〉 日本語をまなぶ世界の子どものために **かんじだいすき 社会・理科編**』はこのかんじだいすきシリーズの集大成として作成し、平成二十三年に出版いたしました。

これから中学へ進む子どもたちや、今中学で学んでいる子どもたちが一人でも多く、学校の授業についていけることを、生き生きと学校生活を送れることを願って作成したものです。

この度、小学校の配当漢字が、「平成二十九・三十年改訂　学習指導要領」（文部科学省）のもと、二〇二〇年度より変更となりました。これに合わせて、『改訂版　〈中学に向けて〉 日本語をまなぶ世界の子どものために **かんじだいすき 国語・算数編**』を刊行いたします。

かんじだいすきシリーズに引き続き本書の作成にあたりまして、ご協力いただきました永井峰男氏に深く感謝いたします。

令和五年四月

著者　関口　明子（代表）
高石久美子
蓼沼のり子
金　早苗